Obsoletos

Un mundo automatizado

Carlos Javier Giménez
Copyright © 2023 Carlos Javier Giménez

Índice

"La máquina comienza a ocupar el lugar del hombre, no sólo en el trabajo, sino también en la vida social y cultural. La máquina habla, piensa, decide, juzga, ama, odia; en una palabra, imita al hombre. Pero no olvidemos que la máquina sigue siendo una máquina, y que nunca podrá reemplazar la libertad, la creatividad y la originalidad del ser humano." - Norbert Wiener, Cibernética y Sociedad (1948)

"En el mundo de la inteligencia artificial, todo es posible y nada es imposible. Los límites de lo que podemos crear y lograr están en constante expansión, y solo el tiempo dirá hasta dónde nos llevará esta tecnología increíblemente poderosa." - Daniel H. Wilson, autor de "Robopocalypse"

Es el año 2063. La humanidad ha dado un salto tecnológico significativo desde la aparición de las IA. Al principio, las grandes compañías competían por crear la inteligencia artificial perfecta, capaz de razonar como un ser humano. Sin embargo, esta carrera concluyó cuando las empresas rivales se unieron y crearon a *SintecBrain*.

Al poco tiempo, *SintecBrain* se convirtió en el único sistema operativo que se incorporó en cada Smartphone, lo que hizo que las personas dependieran totalmente de ella. Esta IA hacía de consejero, médico, secretario, creador de contenido, programador y cualquier otra tarea que el usuario necesitara.

La evolución del sistema también se trasladó a niveles industriales y políticos. Las decisiones políticas eran diseñadas por *SintecBrain* y llevadas a votación, cuyo resultado siempre era a favor de la inteligencia artificial debido a su lógica irrefutable. Las industrias, por su parte, reemplazaron a los seres humanos en varios campos, especialmente en tareas de oficina, toma de decisiones e incluso en la producción en línea: máquinas equipadas con esta IA se encargaban de las labores que antes realizaban los operarios.

Muchas personas se encontraron en el dilema de haber estudiado durante años una carrera que, debido a este avance tecnológico, quedó obsoleta. Mi nombre es Maverick Hernández, y como muchos, fui reemplazado por un sistema artificial. Hace diez años, me desempeñaba como corrector literario y traductor de obras del inglés al español. Era uno de los más solicitados, y no puedo recordar la cantidad de libros que traduje o corregí de los errores ortotipográficos de los escritores noveles. Un día, todo cambió: los escritores y las editoriales comenzaron a experimentar con la corrección y las diferentes traducciones que podía hacer la herramienta *SintecBrain*, y mi vida se fue por la borda.

No solo la IA me dio una patada en el culo, sino que también lo hizo el microchip biométrico que se aprobó inicialmente para el control de enfermedades, pero este no fue su único propósito, como se pretendía cuándo fue instalado. Este microchip, del tamaño de un grano de arroz, se implantó en la frente de cada persona, y todo aquel que se negaba a hacerlo quedaba marginado del sistema. El microchip no solo informaba sobre nuestra salud, sino también sobre nuestros gastos, posición, identidad, teléfono y nuestras redes sociales. Todo se registraba en los servidores de *SintecBrain.*

Las personas que no aceptaban el chip debían arreglárselas como pudieran. De todas maneras, este no era el mayor costo a cambio de una vida en libertad...

1

Otro día más... O, por qué no, otro día menos: según qué tan optimista te sientas. Lo cierto es que hoy es un martes con un clima agradable. La primavera se manifiesta en cada flor, en cada árbol. Frente a mí, un macizo de rosas rojas, blancas y amarillas me da los buenos días, haciéndome olvidar los dolores de espalda que me causó dormir en el banco de la plaza en la que me encuentro. A mis cuarenta años, los huesos ya me pasan factura.

Todavía no me hago a la idea de ser un desempleado, mejor dicho, un R-A: de esta forma denominan en los medios de comunicación a aquellos que sufrieron reemplazos artificiales en sus empleos. Tal vez sería más fácil mi vida, si me hubiera dejado marcar con ese aparato del tamaño de un grano de arroz que te colocan en la frente. Como fiel creyente en Dios, estoy convencido de que aquello es la marca de la bestia y por nada del mundo me dejaré marcar. Según dijeron los medios de comunicación el día que lo promocionaron: se coloca en la frente, por ser el lugar del cuerpo que genera el calor suficiente como para que el chip recargue las baterías.

Mientras reflexionaba sobre todo lo que me estaba sucediendo, aparece por la esquina de la plaza, Milagros Hop. Como de costumbre llegaba tarde. Habían pasado dos horas desde que la llamé, siempre fue una chica despistada. La conozco desde hace unos quince años, y a pesar de que me trae loco, nunca pasó nada entre nosotros. Creo que el temor a que todo acabe mal hace que me aferre a su amistad y me conforme solo con verla cada día. Lucía muy bien encajada en unos jeans azules que marcaban su trasero, una blusa rosa y esos ojos verdes eran las joyas de su cara, que resaltaban en un marco de cabellos rubios.

De pronto caí en la cuenta de que no me veía muy bien, traía mi camisa blanca arrugada y rogaba que las palomas no me hubieran acertado. Llevaba pantalones cargo marrones. No percibí ninguna mancha grave; sin embargo, lo que más temía era que sintiera mi aliento, de seguro olía a vagabundo. No es fácil conseguir un lugar donde lavarse los dientes en una plaza, además no tenía nada aparte de lo puesto.

—Maverick, te ves fatal... Veo que no me estabas jodiendo —señaló Milagros, rascándose el cuello y luego el brazo izquierdo, como si le hubiera pasado la roña.

La sutileza no era su fuerte. Creo que la mayoría de los argentinos que conocí eran así, pero desde que trato con ella en especial, mi acento madrileño se fue volviendo cada vez más argento: tal vez en el fondo solo quiero que me vea como uno más y no como a el español descarrilado, que no acepta que los que gobiernan este mundo intenten meterle una correa por el culo.

—Ojalá fuera una broma, Mili —dije

señalando mi camisa arrugada—. Sí que son duras las bancas en Buenos Aires.

—¿Qué pasó? ¿Te corrieron de tu trabajo?

—Algo así, ahora soy un R-A...

Mili sacudió la cabeza de forma negativa y bajó la mirada.

—No te llames así. Pero tienes que reconocer que te advertí que esas ideas tuyas de no ponerte el chip biométrico te traerían consecuencias malas. Yo te lo dije.

El "te lo dije" era su deporte favorito, y para mi pesar, la mayoría de las veces tenía razón. Sin embargo, esta vez estaba convencido de que yo la tenía, y se debía a que lo decía la Biblia. Esta vez no tenía ganas de discutir como tantas veces con ella y decidí cortar la discusión de raíz.

—No estoy de humor como para hablar de esto. Siempre terminamos discutiendo y ahora lo que necesito es arreglar este embrollo. Mi espalda no soportará otra noche en esa banca.

—Además, sin empleo, ni siquiera podrás pagar ese aguantadero en el que vives por no tener el chip —dijo Mili—. Tampoco te dejarían entrar a mi edificio. Son estrictos con el escaneo de salud.

—Bien, ya sabemos lo que no puedo hacer. Ahora concentremos nuestros pensamientos en lo que sí puedo hacer —dije sonriendo.

Mili levantó las dos cejas con expresión sarcástica. Evidentemente, no le agradó mi broma.

—A ver, listillo. Te recuerdo que ya se puso en marcha la campaña de digitalización del dinero al cien por ciento: esto te dejará sin capacidad de compra a menos que reconsideres implantarte el chip.

Lo había olvidado, vi la publicidad en mi móvil: pedían a los ciudadanos que enviaran la autorización para digitalizar todo el dinero de sus cuentas, que se almacenaría directamente en su chip biométrico. Esto me pone en jaque no solo a mí, sino también a todos los habitantes del barrio R-A y los creyentes en la Biblia.

Para mí fue evidente cómo lograron que los bancos aceptaran digitalizar todo el dinero: los grandes clientes, aquellos grupos que contaban con un gran porcentaje del dinero físico dentro de las bóvedas, retiraron sus fondos de una sola vez, acompañado de una campaña de miedo en los medios de comunicación fáciles de comprar—todos a decir verdad—, que generó que el resto de las personas quisieran retirar también su dinero. El banco que no contaba con el efectivo en sus bóvedas, terminó colapsando, lo que llevó a que los estados tuvieran que salir en su auxilio.

Después de esto fue fácil convencer a las entidades bancarias de que si el dinero era virtual, se podrían controlar los retiros con una serie de leyes y reglamentos. El dinero físico se podía retirar y guardar bajo el colchón, sin embargo, el dinero virtual no. Los Estados Unidos tuvieron mucho que ver con su *Digital Dollar Project*.

—Tienes razón. Lo había olvidado. Los gobiernos nos están arrinconando para que aceptemos la marca de la bestia —dije observando la cara risueña de Mili—. Pero no me dejaré amedrentar, seguiré fiel a mis principios.

—Mejor vamos a comer algo... Pienso mejor con el estómago lleno —dijo ella.

Caminamos hasta el centro de Palermo, donde estaba la cafetería preferida de Mili: servían el mejor café de la ciudad a mi parecer, junto con una rebanada de pastel de frutilla, cuyo sabor nos remontaba a nuestra infancia. Otra cosa que tenía en común con ella.

Al llegar a la cafetería nos tomó por sorpresa el cambio en su fachada: donde estaba el marco de aluminio con las dos hojas de vidrio que eran sus puertas, ahora había un imponente marco negro con lentes de cámaras. Mili pasó primero por el centro y una luz láser verde la recorrió de pies a cabeza. Cuando tocó mi turno de pasar, el mismo láser verde se desplazó por mi cuerpo hasta llegar a mi cabeza y de repente, como si me hubiera tocado el premio gordo en una vieja máquina tragamonedas, la luz verde se volvió roja y una sirena rugió una y otra vez.

Un mozo se acercó hasta mí y en voz baja me invitó a irme del local, alegando que desde hoy nadie, sin excepción, podía ingresar a un establecimiento donde haya un grupo de personas, sin tener el chip biométrico. Era un reglamento del departamento de salubridad de la nación.

Las personas a mi alrededor me veían como a un bicho raro. Se alejaban de mí, temían que con solo estar a mi lado fueran acusados de rebeldía o antisociales. Me sentía furioso: no solo había perdido mi trabajo en manos de una IA, sino que también me prohibían ir a un café o alquilar un departamento. Me retiré con la cabeza gacha y me senté en un cantero donde las plantas marchitas reflejaban mi estado de ánimo.

—Toma... te compré un café con leche. También unas medialunas —dijo Mili. Su tono sonaba preocupado.

—Gracias por estar siempre a mi lado, Mili. No sabría qué hacer sin tu ayuda —dije mirándola a los ojos.

Ella sonrió y me tomó la mano. Sentir el calor de su piel en la mía me reconfortó. En ese instante me vino a la mente una idea que me puso aún más triste: ¿Qué podría ofrecerle un hombre como yo? Solo sería una carga para ella. Incluso ahora, sin ser más que amigos, no puedo acompañarla a tomar un café en una cafetería. Estos momentos son los que me hacen flaquear y pensar en mandar todo a la mierda, ponerme el chip y ajustarme a este sistema injusto, que restringe las libertades y nos empuja a no pensar, a no ser uno mismo.

—Eres una persona inteligente, sabrás cómo salir de esta situación complicada. Ven, vamos a mi casa, tal vez puedas pasar —dijo Mili.

Mientras caminábamos hablando de todo un poco, no podía distraerme al ver a cada persona a mi alrededor con sus móviles conectados a sus cabezas mediante auriculares y hablando con

Sinbra, abreviatura de SintecBrain.

Un chico de no más de quince años caminaba a un metro delante de nosotros. No pude evitar escuchar su conversación con la IA: preguntó cómo hacer para que su compañera de curso se fijara en él. Llevaba su SkinTouch en altavoz y escuché cómo aquella aplicación —por llamarla de alguna forma— le enseñaba cómo manipular a esa chica. Según lo que entendí, la IA revisaba sus redes sociales y todo lo que pudiera suministrar información sobre sus gustos e inquietudes. Después de analizar todo, hacía un resumen para su usuario. Le dijo que la chica amaba los gatos y su golosina preferida era el chocolate blanco, además de que su pasatiempo era la escritura de poemas y su equipo de fútbol era Boca Juniors, a quien seguía en cada partido. Le recomendó que la invitara a un juego de ese equipo y le llevara una caja de chocolate blanco. Después, hiciera mención de que le gustaban los poemas y que debía memorizar unos cuantos.

—¿Estás muy callado? ¿En qué piensas? —dijo Mili mirándome con extrañeza.

—¿No escuchaste a ese chico? Le pedía a Sinbra consejos para enamorar a una chica. Sabía que las IA estaban metidas en todo, pero esto... Ya es el colmo: nuestro cerebro ya ni siquiera debe pensar en cómo hacer para conquistar a una posible pareja, la máquina lo hace por nosotros, es decir... nos manipula psicológica y emocionalmente.

—Yo lo veo como un consejero. Tú decides si

lo haces o no —dijo Mili.

Aceleró el paso —a mi entender—, para oír el chisme del chico.

Los edificios habían cambiado, no era como los recordaba: con la superpoblación mundial y el inconveniente que encontraron para alimentar a las personas, idearon edificios con espacios verdes donde los sistemas de hidroponía proveían la mitad de los alimentos necesarios a sus inquilinos, lo que llenaba de verde al paisaje. Es lo único bueno que hicieron. Los autos eléctricos autómatas circulaban por las calles con una probabilidad de choque —según las propagandas— de un cero por ciento. A decir verdad, no recuerdo la última vez que vi un accidente en las calles que involucrara a un vehículo autómata.

A donde mirara... Veía muy poco de mi infancia. Me sentí obsoleto. Las personas también habían cambiado: la ropa se había convertido en una verdadera extensión del cuerpo humano gracias a la tecnología que permitía integrar la electrónica y la informática en las prendas de vestir. Las fibras inteligentes y los materiales sensibles al ambiente se utilizaban para crear prendas que se adaptaran a las necesidades de cada persona, proporcionando confort y seguridad en tiempo real. Podían ajustar los colores, los patrones y las texturas de su preferencia. Además, las prendas de vestir cuentan con una variedad de sensores integrados que recopilan datos sobre el cuerpo humano, la actividad física y el ambiente circundante, lo que permite monitorear la salud y el bienestar de las personas en tiempo real. Los sensores también pueden alertar a los usuarios sobre cualquier riesgo para su salud o seguridad, como la exposición a radiación o niveles peligrosos de contaminación. Muy poca gente se vestía como yo, con telas biodegradables que se ponían viejas y feas con unos cuantos usos.

—¿Ya viste? Pusieron esos escáneres biométricos en cada negocio y edificio de apartamentos —comentó Mili—. No auguro nada bueno para ti si no te colocas el chip.

Su rostro se veía preocupado. Yo también comenzaba a estarlo. Todo pasó tan deprisa que no me di cuenta de que el mundo cambiaba, dejándome rezagado. Creo que me pasó como la teoría esa del sapo, dónde calientan el agua y el animalito no se da cuenta hasta que ya es demasiado tarde y muere.

—Ya lo noté —acerté a decir de manera automática.

Ya podíamos ver el edificio donde vive Mili; es de los gubernamentales: quedaban muy pocas propiedades privadas en la zona, la mayoría de las viviendas eran propiedad del estado y se alquilaban a los ciudadanos. Como mencionó Mili, su edificio contaba con una de esas herramientas de discriminación que amenazaba con dejarme una noche más en la banca de la plaza. Si no puedo quedarme un tiempo con ella, no sé qué será de mí...

Nos detuvimos frente al detector biométrico de la entrada. Un vigilante nos observaba desde la cabina de amplias ventanas que se asemejaba a una gran pecera. Nos veía con cara de no comprender por qué nos quedamos detenidos sin hablar, observando la entrada.

—Otra vez... Entra tú primero, Mili. Si me llegan a rechazar, que es lo más probable, tú vete a descansar que yo me las arreglaré.

—¿Qué? De eso ni hablar. No puedo dejarte dormir en la calle solo —dijo poniendo su mano sobre mi hombro.

Sentir su mano me reconfortó. Le preocupaba, y eso me hacía creer que al menos tenía a una persona en este lado del mundo que me apreciaba.

—No te preocupes por mí, algo se me ocurrirá... —dije con la mente en blanco.

—Bueno, igual veamos qué sucede, tal vez no funcione aún —dijo esperanzada.

El hecho es que funcionó. Ni bien pasé el marco, el láser pasó de verde a rojo y comenzó a chillar, aunque con menor intensidad que en la cafetería. Mili se llevó las manos a la boca y su rostro entristeció, seguramente imaginándose que me asaltarían en la plaza o que moriría de frío, a pesar de que las noches son extremadamente calurosas, con temperaturas por encima de los treinta y ocho grados Celsius. En este momento no me desagradaba el calentamiento global, que cada cinco años sumaba un grado más de calor.

—Como te dije, ve a descansar. Yo voy a ir a ver a un amigo que tal vez me pueda ayudar. Él tampoco se implantó el chip y vive a la antigua usanza, en las afueras de la ciudad.

—Bueno, pero si no puede ayudarte... Júrame que me vas a venir a ver. No voy a estar tranquila hasta volver a saber de vos.

Asentí con la cabeza y di media vuelta, luchando por no voltear a verla. Si mi amigo no vivía más en aquel lugar apartado de la ciudad sin sus leyes de control, estaba jodido.

2

Sin dinero, me tocó ir a pie hasta las afueras de la ciudad de Palermo, más precisamente hasta donde comenzaba la ex estación ferroviaria de Saldias. Ahora las vías eran reemplazadas por la Red de Tubos de Transporte de Personas (RTTP): eran cápsulas individuales metálicas con puertas de vidrio blindado, que viajaban por tubos al vacío a gran velocidad.

El único punto verde en aquella zona era una pequeña finca a la cual yo me dirigía.

Las patrullas robóticas, como yo las llamo, que oficialmente se denominan unidades de seguridad autónomas virtuales, controladas por la IA SintecBrain, recorren cada punto de la ciudad. Estas unidades son responsables de garantizar la seguridad de los ciudadanos y prevenir cada posible hecho de inseguridad, y ahora me están monitoreando.

Mierda, vienen hacia aquí. Me pregunto qué querrán.

—Ciudadano, no fue posible detectar su chip biométrico, lo que nos lleva a concluir que no se lo implantó. Como resultado, deducimos que debe pertenecer a los denominados R-A —dijo el robot patrulla.

—¿Acaso es un delito? No estoy haciendo

nada malo... ¿O sí?

La unidad me registró de arriba abajo con un escáner láser que emitía desde donde deberían estar los ojos en un oficial humano: en su lugar había un rectángulo rojo. Después de unos segundos y al ver que no era una amenaza, se marcharon sin decir palabra.

Caminé hasta llegar al portón de hierro de la finca. Examiné los costados hasta dar con el portero eléctrico: era un rectángulo de acero inoxidable incrustado en la pared, tenía múltiples orificios que formaban un espiral y debajo un botón plateado. Al oprimir el botón se oyó un chirrido, y dudando de que aquel anticuado artilugio funcionara, hablé.

—¡Hola! ¿Se encuentra el profesor Luis Camacho?

Solté el botón, sintiéndome un poco estúpido por estar encorvado, hablando con una placa metálica, acostumbrado a los intercomunicadores modernos con pantalla ultra realista, sonido nítido y que se activa con reconocimiento facial.

—Hola... ¿Me escucha? —dijo una voz distorsionada con un poco de estática, sin embargo, reconocí la voz gruesa del profesor.

Oprimiendo el pequeño botón contesté:

—Sí, profesor. Soy Maverick Hernández —dije pegando mi boca al portero y me vino a la mente la imagen ridícula de estar apunto de besar al profesor—. Necesito hablar con usted.

—Ah... Sí... Te recuerdo Maverick, me ayudaste a traducir un libro de arte. Ya te abro.

El portón soltó un lamento metálico y comenzó a correrse, dándome paso a un verdadero paraíso: un mundo exuberante y colorido estaba frente a mí. El contraste entre la monótona y apretada urbe y la abundancia de vegetación era impactante.

La entrada conducía a un camino de piedra rodeado de una variedad de plantas exóticas. A un lado, había un grupo de orquídeas de color púrpura intenso con pétalos suaves y aterciopelados. El aroma dulce y floral que desprendían era embriagador. Al otro lado, unos arbustos de hojas largas y estrechas se movían con la brisa, revelando sus flores amarillas en forma de campana, un letrero tallado en madera ponía "**Bignonia**".

Más allá del camino, había una zona boscosa con árboles altos y majestuosos. Un gran árbol de hojas verdes oscuras y lisas, con tronco grueso y rugoso, se destacaba en el centro. Era un árbol Baobab, originario de África y conocido por su capacidad para almacenar grandes cantidades de agua en su tronco y por sus frutos comestibles.

Mientras caminaba por el sendero, también pude ver un grupo de arbustos de hojas brillantes y rojizas, otro letrero de madera ponía "**Croton**". Además, una planta con flores de color rosa claro y hojas verdes redondeadas, llamada "**Begonia**", adornaba el suelo.

Más allá del bosque, había un lago tranquilo rodeado de plantas acuáticas. Un grupo de nenúfares de color blanco y rosa flotaba en la superficie del agua, mientras que unos juncos altos se mecían suavemente en la brisa.

A lo lejos, se podía escuchar el canto de las aves, y un par de mariposas de colores brillantes revoloteaban por el aire. Era difícil creer que este oasis verde y exótico existiera en medio de la bulliciosa ciudad.

En resumen, la finca verde era un paraíso lleno de plantas exóticas, árboles majestuosos y flores vibrantes. Un lugar asombroso, que me hacía sentir como si hubiera sido transportado a otra época y lugar, un verdadero tesoro en medio del concreto de la ciudad.

—Maverick, ¿Qué te trae a mi humilde morada? —dijo el profesor Camacho, mientras caminaba hacia mí.

Desde la última vez que lo vi, pasaron unos diez años y se me hizo que seguía en buena forma para tratarse de un hombre de setenta años: tenía cabellos y barba cana, ojos color miel que se veían un poco más grandes debajo de sus lentes con marco de madera, que supongo fabrica el mismo. Vestía unos vaqueros azules y polo de piqué blanca.

—Dichoso de usted por tener este paraíso en medio del gris concreto —dije aún asombrado de la belleza de aquel jardín.

—Gracias, pero ven... Vamos adentro —dijo señalando la casa con la mano abierta.

La casa estaba hecha de troncos de Madera, al estilo de las cabañas que conocí en Bariloche. Los troncos brillaban debido a la capa de barniz con el que fueron pintados y las ventanas blancas resaltaban en sus Marcos. El techo estaba cubierto por tejas rojas y en el extremo se veía una chimenea de ladrillos, teñida en parte de negro a causa del hollín.

Al entrar a la cabaña, me sorprendió una enorme talla de madera que de apoco se iba pareciendo a un oso: en el suelo se veían virutas y herramientas para el tratado de la madera.

—Es un oso pardo, o al menos eso intento tallar —dijo al ver cómo examinaba la pieza.

—Le está quedando muy bien profesor. Tiene usted mucho talento.

El profesor suspiró profundamente y bajó la mirada mientras nos dirigíamos a un cuarto con dos sillones de tela que en frente tenía una mesita ratona. Alrededor se veían un montón de libros con estatuas y tallas en sus portadas y en la pared había una estantería con una gran variedad de pequeñas tallas de madera de diferentes formas: barcos, caballos, elefantes, camiones, etc.

—De que sirve el talento... Una máquina logró hacer lo mismo que hago yo en menor tiempo y con mayor precisión.

Los escultores la pasaron mal cuando perfeccionaron las impresoras 3d, ahora capaces de replicar cualquier cosa en diferentes materiales: desde madera, mármol y hasta son capaces de crear órganos humanos funcionales. En lo que respecta a los órganos, creo que sí fue un gran avance para la salud y calidad de vida de las personas. Que las pusieran hacer esculturas y quitarles el trabajo a los artistas como al profesor, no era necesario.

—Las máquinas jamás podrán imprimir un alma a las obras, como si lo hacen los artistas humanos, dónde las emociones y vivencias que marcaron su vida, dejan marcas vivientes en aquellas esculturas —dije mientras me acomodaba en el sillón.

El profesor meneo negativamente la cabeza y después de esbozar una sonrisa triste dijo:

—Muy profunda tu reflexión, pero dejar el alma en las obras no llena el estómago, eso lo hace el dinero, y las obras creadas en minutos cuestan mucho menos que las que hace un artista.

Asentí con la cabeza en silencio. A mí también me habían remplazado por un programa que hacía mi trabajo por una mísera suscripción mensual.

—Por la cara que pusiste, creo que a ti también te pasaron a retiro —dijo el profesor.

Así es, solo que usted ya tiene los setenta años requeridos y los cincuenta aportados para jubilarse en cambio a mí me faltan otros treinta años.

—Es verdad, y más difícil será tu vida sin el maldito chip en la frente.

—¿Cómo supo que no me implanté el chip biométrico? —lo interrogué con intriga.

El profesor sonrió y me mostró un artilugio que no llegué a distinguir que era... Solo me percaté de que poseía una pantalla y lo que parecían botones a los lados, como los que utilizaban los viejos Smartphone para subir y bajar el volumen de audio.

—Unos amigos que no están de acuerdo con este sistema de rebaños que intentan emplear, me facilitó este detector. Simplemente puede escanear si la persona posee un chip o no... Es por ello que te permití entrar a mi casa, de lo contrario no te hubiera contestado la llamada.

—¿Y por qué tanto recelo profesor?

—¿Todavía no lo sabes? Ese chip no solo controla tu dinero y dice dónde puedes entrar o no, sino que también es un localizador en tiempo real con el que controlan todos tus movimientos y como frutilla del postre: se cree que también cuenta con micrófono —dijo dándose golpecitos suaves con el dedo índice en su oreja derecha.

—Ahora si que se fue por el caño nuestra privacidad. Es una especie de *Gran Hermano,* pero a escala global.

—Exacto. Por suerte aún no es obligación que te pongan ese chisme, sin embargo, las presiones por medio de todo lo que te rodea para que necesites ponértelo son constantes.

—Dígamelo a mí. Anoche dormí en la plaza y hoy no se que hacer.

—Entiendo, por eso viniste a verme. Necesitas un lugar donde quedarte hasta que se mejore tu situación —dijo tomando una botella de whisky y se sirvió un vaso—. Quieres un trago, creo que te vendrá bien.

Acepté el trago y continuamos hablando de todo un poco. Me ofreció pasar la noche en su casa, mientras pensaba de qué manera podría ayudarme.

A la mañana siguiente, el canto de un gallo me despertó. Me cambié y me dirigí a la cocina donde el profesor Camacho tomaba un café. Ese aroma fuerte me dio a entender que no era el café artificial: según había leído, era una mezcla de compuestos químicos naturales como la cafeína, la teobromina y el ácido clorogénico, este café que vendían en todas partes no tenía aquel aroma. Me pregunto de dónde lo habrá sacado, ya que el verdadero café solo lo consumen los ricos, y no creo que el profesor sea millonario o que en su paraíso hubiera una plantación de café.

—Buenos días, siéntate Maverick. Disfruta de una buena tasa de café —dijo sirviendo una tasa.

Me senté con la esperanza de que al profesor se le hubiese ocurrido la forma de ayudarme a salir de mi compleja situación, sin tener que colocarme ese endemoniados chip controlador.

—¿Y bien profesor, alguna idea? —dije sosteniendo la taza de café con las dos manos, me dio la impresión de que estaba rezando o tal vez inconscientemente lo hacía.

El profesor se sentó frente a mí con el ceño fruncido y en la mano traía una bolsa brillante.

—¿Qué tipo de comunicador tienes?

—¿Comunicador? Se refiere a mi viejo Smartwatch —dije enseñándole la muñeca.

—Veo que no te dejas seducir por la última moda —dijo abriendo la bolsa brillante.

—Últimamente la única moda que puedo seguir: es la de seguir viviendo, y me está costando cada vez más hacerlo —dije tratando de sonreír—. ¿Para qué es la bolsa?

—Esos aparatos por más anticuados que sean, están siendo rastreados. Utilizan sus micrófonos, cámaras y sobre todo su sistema de posicionamiento global.

Coloqué el Smartwatch en la bolsa, luego el profesor la cerró y la colocó en un cajón.

—Esta bolsa se compone de aluminio con gran capacidad reflectante y además el cajón donde la dejé, tiene un recubrimiento de malla de cobre, lo que hace que las ondas GPS se dispersen y reflejen en varias direcciones, actuando como una jaula de Faraday.

—Me parece una medida exagerada para una persona que vive solo. O es que recibe muchas visitas —dije sin pensarlo y de inmediato me arrepentí: no quería que pensara que era un entrometido o lo que es peor, un espía del gobierno.

El profesor se puso de pie y se acercó lentamente a la ventana que daba al hermoso jardín.

—Como ya sabes, yo tampoco estoy marcado con ese chip. Este estilo de vida fuera del rebaño no es nada fácil, y de alguna forma como verás, he podido sobrevivir bastante bien —dijo y volteó a verme—. Sin una propiedad es difícil que puedas vivir en paz aquí. Lo pensé mucho y llegué a la conclusión de que deberías marcharte a un lugar donde puedas residir sin necesidad de un chip.

—Pero usted lo acaba de decir, profesor... No tengo una propiedad ni familia aquí...

—... Exacto. Debes volver con tu familia —dijo, volviendo a su sillón—. Recuerdo que eras de España.

—Correcto, sí. Soy de Madrid, pero no creo que en España fuera más fácil, he oído que la cede central de *SintecBrain* se mudó allí desde los Estados Unidos.

—Lo sé, sin embargo, se que puedes quedarte en la casa de tus padres sin necesidad de un chip biométrico que diga cada vez que entras o sales si estás sano. Es la única solución que puedo darte, lo siento.

—¿Y cómo viajaría desde Argentina a España sin un chip? Estoy en la misma —dije dejando la taza sobre la mesa.

—he pensado en ello. Tengo unos amigos que me consiguen cosas que no podría tener sin mucho dinero y contactos...

—... ¿Cómo el café real? —dije.

El profesor asintió con la cabeza.

—Estos amigos transportan cargas desde Argentina a España esta noche. Saldrán del muelle negro a las dos de la madrugada.

—¿Muelle negro? Que nombre original para uno clandestino —dije sonriendo algo nervioso—. Sí me atrapan son fácil ocho años en la granja... Y sabemos cómo acaban las personas allí.

—Es tu decisión. Toma esta tarjeta, si decides viajar te servirá como pago. Asegúrate de que nadie la vea ni se la menciones a nadie, ¿Entendiste? Espero que tengas éxito decidas lo que decidas. Adiós.

Tomé la tarjeta negra con un chip dorado incrustado en uno de los extremos, mi Smartwatch y decidido a no molestar más a mi ermitaño amigo, me despedí con un abrazo que tomó por sorpresa al profesor. La idea de volver a España me atraía, sin embargo, no estaba muy convencido de viajar en compañía de contrabandistas. Sin saber que hacer, decidí volver a ver a Mili, quien era otra razón por la que no deseaba marcharme.

3

Después de hablar por teléfono con Mili: convenimos encontrarnos en el cafetín mi Buenos Aires. Era el único al que todavía podía entrar sin que una sirena comenzara a sonar, aunque me dio tristeza ver el aparato dentro del establecimiento, a la espera de que vengan a colocarlo. El cafetín no era demasiado grande, contaba con una barra, en el centro siete mesas, y las rodeaban ventanales. En la pared un anticuado televisor *Qled,* mostraba las noticias locales: los sindicatos de trabajadores luchaban en contra de la suplantación de la mano de obra humana por parte de las IA. En mi opinión, una lucha perdida. La evolución no se puede detener. En la naturaleza el ser evolucionado hace desaparecer a su predecesor al estar mejor adaptado.

Cómo de costumbre, Mili entraba al cafetín con diez minutos de retraso, y menos mal, porque el mesero ya se estaba impacientando al verme sentado sin ordenar nada, ya que no tenía un centavo digital. Mili lucía hermosa con ese vestido rosa con flores blancas estampadas, que le llegaba un poco más abajo de las rodillas y botas de caña alta blancas. Un rodete en el cabello rubio, se sujetaba con una vara negra, que lo atravesaba de lado a lado, como sin dudas su mirada lo hacía con mi corazón.

—Buenas noches, Mili —dije, sonriendo, aún no eran las diez de la mañana—. ¿Te escapaste del trabajo? Me sorprendió que pudieras verme a esta hora, tenía entendido que trabajabas de ocho a diecisiete.

Milagros era la mejor guía turística de Buenos Aires. Sonrió y se sentó en la mesa. Estaba apunto de contestarme cuando fue interrumpida por el mozo.

—¿Ahora sí ordenará? —dijo en un tono que me sonó sarcástico. Estaba seguro de que había supuesto que ella pagaría.

—Yo quiero un tostado de jamón sintético y biotomate. También un café cortado —dijo, y sonrió de tal forma al mozo que este quedó prendido a sus ojos verdes.

—¡Ejem! Bueno... Y yo quiero lo mismo —el mozo me miró con gesto fruncido, tomó nota y se marchó.

—¿Qué le ocurre a este gilipollas? —dije siguiendo con la mirada al mozo.

—Tranquilo campeón, no quiero sacarte de aquí con la mandíbula desencajada —dijo Mili, soltando una carcajada.

—Ja, ja... Muy graciosa. ¿Y bien?

—¿Y bien qué? —dijo apagando su *SkinTouch:* era su moderno móvil que se desplegaba como un tatuaje holográfico debajo de la muñeca.

—No me dijiste como pudiste venir en este horario... ¿Te dieron vacaciones o qué?

Ella sonrió con gesto triste y bajó la mirada. Se puso a jugar con el salero, lo que me hizo pensar que no debí insistir con esa pregunta.

—Digamos que me dieron vacaciones permanentes. Resulta que *Sinbra* es mejor guía turística que yo: puede hablar todos los idiomas existentes y además conoce todo, exactamente todo sobre cada maldita cosa —dijo molesta.

Jamás la había oído maldecir. Siempre pensé que no era capaz de enfadarse.

—Bienvenida al club de los R-A —dije, recostado con la cabeza hacia atrás en mi silla—. De todas maneras tú tienes el chip. En esta vida no tendrás de que preocuparte en lo que se refiere a encontrar otro empleo.

—Seguro... Lavando copas o automóviles, que es lo único que aún no pueden hacer las máquinas con *SintecBrain*.

El mozo llegó con el pedido, lo dejó sobre la mesa dedicándome una mirada de pocos amigos y se marchó.

—Mi café esta tibio. Cómo cambió el servicio en este lugar —dije, dejando la taza sobre la mesa—. Te quería comentar algo importante.

—Que delicia estos tostados... Claro, dime.

—Me marcho de Argentina. Volveré a Madrid.

La mirada de Mili que hasta ese entonces estaba puesta en los tostados, se posó de pronto sobre mí. Sus ojos verdes se volvieron enormes, tragó el trozo de sándwich como si tuviera la garganta seca y lo dejó sobre el plato.

—¿Te vas...? ¿Pero cómo? no te dejarán volar

31

sin el chip, tampoco navegar —dijo con tono de voz indignada.

—Lo sé... Es por eso que iré de contrabando —murmuré mirando al rededor.

Mili se acercó extendiéndose un poco más sobre la mesa.

—¿Qué? No te oí.

—Viajaré con unos contrabandistas —le dije por lo bajo.

—¡Te volviste loco! —exclamó.

—¡Ssshhh! Te pueden oír. Ya lo decidí, me voy esta noche.

Ella volteó su cabeza hacia la ventana con el ceño fruncido, para luego cambiarlo por un gesto triste.

—Si cambiaras ese pensamiento sobre el chip biométrico, no tendrías que arriesgar tu libertad así —dijo y volvió a mirarme fijamente—. Siempre admiré tu convicción. También sé que no hay nada que te detenga a irte.

Mili bajó la mirada y sus ojos se humedecieron. Sus palabras me apuñalaban el corazón, sin embargo, ¿Qué podría ofrecerle? No deseaba que su vida se arruinara al lado de un pobre tipo como yo. No era justo.

—No puedo seguir así. De no ir a España, estoy condenado a vivir como un vagabundo sin hogar ni oportunidades. Jamás me pondré ese chip, no me marcaré por más presión que me pongan —dije tratando de mantenerme tan frío como lo estaba el café en mi taza.

—Me asusta que vayas por el océano en un barco repleto de delincuentes tu solo —dijo—. Iré contigo.

Al escucharla por poco me muero atragantado con el trozo de sándwich que acababa de tragar.

—¿Qué tú qué? —dije tosiendo, bebí un trago de café frío que me aclaró la garganta—. No puedo permitir que hagas eso, tu vida esta aquí.

Me clavó la mirada, se la veía molesta.

—Primero soy adulta y tomo mis propias decisiones y segundo: hace tiempo que las mujeres demostraron que el patriarcado era una aberración de mentes cargadas de testosterona. Además quiero conocer España, estoy segura de que allí al menos lavando copas voy a ganar más que aquí en Argentina.

—¿Es la única razón por la que quieres venir conmigo? —dije con voz temblorosa.

Ella se puso de pie, se acercó a mí y tomándome del rostro me besó apasionadamente.

—¿Me escuchaste, Maverick? —dijo desde su silla tomándome la mano—. ¿Estás soñando despierto o qué?

—Eh... Claro, aquí estoy. El profesor Camacho me dio esta tarjeta negra —dije sacándola del bolsillo—. Espero que sirva para los dos.

Pagamos la cuenta o mejor dicho, ella pagó ante la sonrisa burlona del mozo y nos marchamos.

Mili fue por algunas cosas para nuestro viaje a España. Aún seguía algo preocupado por la policía naval, no obstante, de apoco me convencía de que era lo mejor. Decidí no decirles a mis padres que iría, era mejor no dejar rastros que delaten la ruta de los contrabandistas.

Por fin llegó a la plaza, Mili, traía consigo tres maletas repletas, se notaba por el esfuerzo que se marcaba en su rostro.

—Mili, ¿Qué son esas maletas? Creí haberte dicho que vamos de contrabando, lo que significa que debes ir con lo puesto.

—Es mi mejor ropa, no voy a dejarla. Mejor ayúdame y pongámonos en marcha. Esperaremos en el muelle hasta que lleguen —dijo arrojando hacia mí una mochila roja.

Nos paramos en el punto taxi: el círculo verde dónde se activa la baliza de localización. Al cabo de tres minutos, tal cual lo ponía en el contador, un *Automataxi* se detuvo frente a nosotros.

Después de unos minutos llegamos a la entrada a los muelles. El *Automataxi* escaneo la frente de Mili y abrió la puerta.

—¿Qué número de muelle es? —preguntó ella.

Observé el letrero que iba desde el muelle uno al ocho, sin saber a cual ir.

—No tengo la menor idea. El profesor solo me dijo que lo llamaban el muelle negro —dije mirando al rededor: el lugar estaría desierto a no ser por el personal de una guardería náutica que estaba guardando todo con la intención de cerrar. Todos los negocios cierran a la misma hora, las ocho de la noche, sin excepción.

—Preguntemos a esos tipos de ahí —dijo Mili, señalando a la guardería.

—Estupenda idea, les preguntaré: señores, ¿conocen dónde atracan los contrabandistas? Es que nos queremos ir del país de forma clandestina —dije, ante la mirada fulminante que me dedicaba Mili.

—Eres algo lerdo... Déjame a mí —dijo avanzando hacia ellos.

—Detente Milagros, pensemos bien...

Sin oírme y decidida, Mili se acercó a un hombre fornido, que estaba bajando una persiana eléctrica.

—Hola... Buenas noches —dijo Mili deteniéndose detrás de aquel hombre.

El fornido trabajador se dio la vuelta y se sorprendió de seguro al ver a semejante rubia de ojos verdes, dedicándole una dulce sonrisa. Decidí no acercarme, sea lo que fuese que tenía planeado Mili, no necesitaba de mí. Solo cortaría la fascinación de aquel hombre.

—Buenas, señorita. ¿Qué hace una hermosura como su merced aquí y a estas horas?

Su acento se me hizo a colombiano: por lo visto no era nada tímido con las mujeres.

—Estoy haciendo un reportaje para el canal tres y necesitaba ubicar el llamado *Muelle Negro* —dijo Mili.

El fornido entornó los ojos. Su antes pícara

sonrisa, se borró de su cara dejando en su lugar un rostro serio, poco amistoso.

—Aquí no hay ningún muelle con ese nombre. Lo siento, no puedo ayudarla —dijo volteando para terminar de asegurar la persiana con los cerrojos magnéticos.

—Por favor, necesito encontrar ese muelle... Es de vida o muerte, señor —insistió Mili.

El fornido trabajador tomó su mochila que estaba apoyada en el suelo y se marchó sin voltear a verla.

—¿No hubo suerte? —dije acercándome a ella.

Negó con la cabeza gacha y se llevó las manos a la cintura.

—Bueno, no perdamos la fe. Recorramos los muelles hasta ver algo.

—Esta bien, otra no queda —dijo Mili desanimada.

Caminamos por los muelles desiertos sin ver ninguna pista de actividades ilegales o algún grupo de personas que estén rompiendo el horario de descanso que comienza a las doce de la noche y termina a las seis de la mañana, en dónde nadie puede circular por las calles. Éramos conscientes de que si una patrulla nos encontraba en la calle a estás horas, tendríamos que pagar una fuerte suma de dinero en concepto de multa.

Miré la hora en mi Smartwatch, comprobando de que eran las dos menos veinte de la madrugada.

Según el profesor, los contrabandistas zarpaban a las dos con el contrabando para España. De pronto al final del último muelle vimos una luz blanca.

—¿Ves esa luz, Maverick? Hay movimiento allí, afuera del muelle —dijo Mili acercándose agazapada Al borde de la muralla que separa el último muelle, del terreno de junto.

—Hay una plataforma en el agua. También veo una embarcación a su lado —dije tratando de enfocar los ojos en el punto oscuro al borde de la plataforma.

—Creo que es uno de esos viejos yates a gasolina, solo que al ser negro es difícil de ver —aclaró Mili—. Vamos.

No me sentía cómodo con la idea de sorprender a un grupo de contrabandistas en plena oscuridad, sin embargo, necesitábamos acercarnos antes de que se fueran. Mili encendió la linterna de su *SkinTouch* y los apuntó. Alarmados, los hombres encapuchados apuntaron el reflector de su embarcación hacia donde estábamos nosotros, dejándonos iluminados como a dos actores en el escenario.

—¿Quién demonios son ustedes? Contesten o los acribillamos aquí mismo —dijo con voz gruesa uno de los encapuchados.

—Tranquilos muchachos, venimos por negocios nada más. Nos dijeron que podían cruzarnos a España.

—¿Quién les dijo eso? —preguntó aquel hombre acercándose a nosotros.

—No sé si deba decirles la fuente, solo que me dio esta tarjeta y dijo que serviría para que nos llevaran a España —dije enseñando la tarjeta negra.

El encapuchado iluminó la tarjeta, la tomó y después de examinarla con mucho detenimiento dijo:

—Esta tarjeta es de un cliente nuestro: el profesor Camacho —dijo dándole golpecitos contra la palma de su otra mano—. Muy pocas personas saben de nuestra operación. Si son amigos del profe, son de confianza. ¿A qué parte de España se dirigen?

—Vamos a Madrid —dije inquieto.

—Y supongo que son como nosotros, me refiero a que no se marcaron con esa porquería de chip.

Dude por un instante en contestar, ya que Mili si tenía el chip en su frente.

—A decir verdad solo yo no tengo el chip, ella si lo tiene —dije nervioso.

El encapuchado dio dos pasos hacia atrás y soltando un silbido hizo el gesto de envolver su cabeza con su mano derecha. Uno de los hombres que estaba detrás corrió hacia nosotros.

—Rápido, colócate este gorro de aluminio aislante en la cabeza. ¿El profesor no les dijo que los pueden rastrear?

Mili se colocó el sombrero de aluminio y además también cubrieron su muñeca, justo en dónde estaba su comunicador.

—Y tú pon tu Smartwatch en esta bolsa

—dijo arrojándome una bolsa del mismo material aislante.

—Que irresponsables, pudieron poner en riesgo toda la operación. Los patrulleros rastrean a todos, en busca de quien rompa la hora de descanso como la llaman: que no es más que un toque de queda disfrazado.

No terminaba de decir aquello, que cinco luces rojas aparecieron sobre el muelle.

—Capitán, es una patrulla robótica. Habrán rastreado a esos dos —dijo uno de los encapuchados.

—Tomen, cubran sus caras con estás capuchas —dijo el capitán—. Si capturan sus rostros están perdidos. Corran al barco.

No hizo falta que lo dijera dos veces: corrimos a toda prisa hacia el navío. El muelle se movía como si estuviéramos corriendo sobre una cama de agua. Mili trastabilló cayendo al suelo, sin embargo, antes de que pudiera volver para ayudarla, ella ya se había puesto de pie y de un salto abordó la embarcación.

Los marinos se habían ocultado detrás de unos árboles a la espera de los robots patrulleros, que de un salto, dejaron el muelle para caer a unos metros del barco. Los robots extendieron sus brazos dejando ver una punta que soltaba destellos eléctricos. Apuntaron al yate dispuestos a disparar.

—¡Ahora! —gritó uno de los marinos ocultos detrás de los árboles y una explosión azul iluminó por un instante todo el lugar.

—¡Eso es! —exclamó el Capitán al ver a los robots desplomarse en el suelo—. Subirlos a bordo, ya rendirán cuentas con el fondo del océano.

—¿Qué fue eso? —dije asombrado.

El Capitán terminó de soltar amarras y se acercó a nosotros.

—Eso mi amigo, fue una granada de pulsos electromagnéticos —dijo ayudando con las maletas a Mili—. Ahora zarpemos. Nos espera una gran travesía.

4

Zarpamos bajo el manto de la oscuridad. Según el Capitán Alfredo García: La distancia entre Buenos Aires y Madrid, es de aproximadamente diez mil kilómetros, y la ruta más corta es por el océano Atlántico, con dirección noreste hasta pasar por las Islas Canarias. Luego continuar hacia el este por el Atlántico hasta las costas españolas, seguir por el estrecho de Gibraltar hasta el mar Mediterráneo y por último seguir al norte hasta la ciudad de Madrid. Las patrulleras rondan por todas partes, sin embargo, el Capitán dice que no debemos preocuparnos. La verdad es que no puedo dejar de hacerlo.

Mili y yo nos acomodamos en la bodega: en medio de bultos envueltos en tela, cajas de madera y contenedores plásticos, había un espacio lo suficientemente amplio como para colocar el colchón plegable y las mantas que nos proporcionó el capitán. Llamó nuestra atención la cantidad de bultos pequeños que contenían las cajas plásticas transparentes a prueba de agua.

—¿Qué crees que sean, Maverick?

—No tengo la menor idea. Drogas tal vez —susurré.

Mili me tomó del brazo con fuerza.

—¿Qué? Nos mandaran de por vida a la

granja —dijo alarmada mirando al rededor.

—De todas maneras nos mandarán allí por pasar de contrabando —dije y me acomodé sobre las mantas—. Tratemos de dormir un poco, amanecerá en un par de horas.

—No creo que pueda dormir —dijo preocupada.

El sol entraba por un ojo de buey que estaba justo a la altura de mi cara. Esa sensación cálida me reconfortaba, el sonido de las olas golpeando en el casco era agradable. Volví a cerrar los ojos para escuchar con más claridad aquella melodía marina.

—¡Rodríguez, mueve el culo y ajusta esa vela! ¡Señora María, controle los alimentos y el nivel de agua!

La voz gruesa del Capitán García, me sacó de una patada de mi relajación. Observé a Mili que seguía roncando sin perturbarse. Me levanté con cuidado de no despertar a la bella durmiente. Subí por las escaleras blancas hasta la cubierta. A un lado, el Capitán García estaba sujeto al timón, y mirándome de reojo dijo:

—Buenos días, señor...

—... Maverick Hernández. —Trataba de recordar si ya no le dije mi nombre, después de que él se presentara anoche.

—¿Qué le parece el flecha azul? De día se lo puede apreciar en su máximo esplendor. Es anticuado: un superyate Oceanco Aquijo, del año dos mil dieciséis. Sin embargo, es muy confiable y

42

resistente, no hay tempestad que pueda con él.

Era verdad que se veía sólido y muy bien cuidado, no obstante, también decían que el viejo *Titanic* era resistente a todo, y terminó en el fondo. Era azul marino con una fina franja turquesa, que lo recorría de proa a popa. Poseía tres imponentes velas blancas y la cubierta era de madera de teca caoba y reluciente, según detalló el Capitán con gran orgullo. Lo que no me explicó: es que eran esos recipientes y redes finas que estaban enganchadas en los laterales de la popa.

—Estoy seguro de que su servicio de transporte le debe dejar mucho dinero, tanto como para poder adquirir un barco más moderno —dije y me arrepentí al ver al Capitán fruncir el ceño.

—Deduce usted bien mi amigo. Podría comprar uno de esos barcos autómatas que lo hacen todo, que no necesitan tripulación, ni Capitán siquiera. Pero usted lo dijo bien: mi servicio de transporte paga bien y es por ser ilegal a los ojos de los ricos que acaparan lo real, dejando lo sintético para las masas. Yo le ofrezco a las personas el mismo derecho a disfrutar de un buen café natural, de pescado fresco, de sustancias que solo consumen los poderosos, especias y frutos que no fueron creados en un laboratorio... Carne señor Maverick... Carne real —dijo haciendo aspavientos con sus brazos, como si estuviera en campaña política.

Pensé por unos segundos lo que dijo, la verdad es que no lo veía mal. Desde que el mundo se volvió políticamente correcto y Anti libertades individuales, las personas perdieron su identidad propia. Veía en las noticias: las modas actuales en dónde todos buscan parecerse a todos, tratando de encajar en una sociedad consumista y sin pensamiento propio, que fomentaba la ignorancia, empujando a la juventud a codiciar el dinero sin importar si vendían su cuerpo y su dignidad a cambio de unos pocos *likes y* criptodólares. Lo irónico es que ellos siguen haciendo dinero vendiendo sus almas, mientras que yo y mis estudios quedamos obsoletos. —Supongo que tener un barco moderno con una IA observándolo todo no es muy inteligente —deduje al final.

—Ahora nos entendemos, señor Maverick. Un R-A como usted debe entenderlo bien.

Me preguntaba: ¿cómo lo había adivinado, como sabía que fui remplazado por una máquina?

—¿Por qué creé que soy un R-A? —dije cruzándome de brazos.

El Capitán sonrió exageradamente y se acomodó la gorra negra.

—Muchacho... Crees que estas canas no me han enseñado nada: no tienes chip biométrico, lo que me hace deducir que no tienes un cobre en el bolsillo y eso se debe a que el dinero físico ya nadie lo acepta. Lo que también me lleva a concluir que sin ese endemoniado chip, no puedes tener un empleo estable, tampoco un departamento y ni siquiera puedes viajar a España —dijo alisando su larga barba blanca—. Y para finalizar mis conjeturas, puedo añadir por tu acento que vuelves a

Madrid a vivir con tus padres y así evitar dormir en la calle como un vagabundo. ¿O te debo una disculpa?

Me quedé con la boca abierta. Solo en un par de horas descifró toda mi patética vida. No pude más que asentir con la cabeza. Aquel hombre canoso, de barba larga, y facciones duras, me escaneaba con sus ojos azules. Vestía unos Jeans sintéticos verdes y suéter de hilo negro.

Qué haría de mi vida... No podía vivir por siempre con mis padres.

—¿La vida sin ese chip será igual de complicada en España, como lo es en argentina? —pregunté perturbado.

—La empresa dueña de *SintecBrain,* la IA que dejó sin empleo a millones de personas en el mundo, tiene su cede en Madrid. En tecnología, España supera a la argentina cincuenta veces. Prácticamente todo en ese país es autómata —dijo moviendo sus brazos imitando a un robot.

—¿Usted, dónde vive? Sin un chip biométrico debe ser dura la vida para usted —dije acercándome al barandal, deseaba contemplar el océano.

—Yo mi amigo, nací en argentina, pero vivo en Madrid. Usted parece un buen hombre... ¿Sabe guardar un secreto? —dijo mirándome con suspicacia.

—Sí, no soy de los que hablan de los demás, ni de los que se entrometen en lo que no les incumbe.

—¡Señor Guzmán, venga a tomar el timón!

—gritó el capitán.

Uno de los marinos se acercó a él corriendo, y tomó el timón.

—Acompáñame a la bodega, le mostraré el secreto de mi éxito —dijo bajando las escaleras delante de mí.

Mili ya estaba despierta. Ajustaba sus botas blancas y nos dedicó una dulce sonrisa cuando nos vio llegar.

—Buenos días, señorita... —dijo el Capitán, esperando a que Mili completara la frase.

—... Milagros Hop, Capitán García. Creí que ya nos habíamos presentado anoche —dijo extrañada.

El capitán se quitó la gorra negra y se rascó la cabeza canosa.

—Discúlpeme, señorita Hop. Mi memoria no es la misma de antes. Desde que conocí el whisky casero que prepara el señor Guzmán, algunas cosas se me olvidan —dijo y soltó una carcajada gruesa—. Pero bueno, ¿qué es lo que les iba a decir aquí?

—El secreto de su éxito —dije.

—Claro, claro —dijo el capitán dando dos palmadas—. Vengan por aquí.

Nos acercamos a los contenedores transparentes, que contenían aquellos paquetes que anoche vimos con Mili. Apostaba que allí habían toneladas de drogas: la vieja Cocaína o tal vez el moderno Tron, que deja a los consumidores alucinando por tres días seguidos. En las noticias se mostró el caso de un joven que consumió Tron, mientras jugaba un vídeo juego de guerra. Termino cogiendo el arma de su padre, entro a un destacamento de policías humanos y se enfrentó a ellos hasta que lo mataron.

—Dejen que le muestre mi carga más preciada —dijo el capitán abriendo la tapa del contenedor.

Cogió uno de los paquetes y cuando estaba por abrirlo, una alarma resonó en la embarcación.

—Ocúltese. Señorita Hop, póngase el aislante en la cabeza y en su comunicador. No haga ningún ruido —dijo volviendo a cerrar el recipiente—. Son patrulleros. Señor Maverick, venga conmigo, y no abra la boca.

5

A un lado del Flecha Azul, un barco patrullero autómata, lo escaneaba por completo. Después de unos minutos en dónde no se oía nada más que el agua golpeando contra las embarcaciones. De pronto, de un salto dos robots en apariencia semejante a la de dos hombres de unos treinta años: vestidos con uniformes azules marino con una cruz blanca en el pecho, detalles dorados en el puño de la chaqueta y pantalones negros que hacían juego con sus botas, cayeron sobre la cubierta, sin pedir antes permiso de abordar.

—¡¿Pero que atropello es este?! —dijo el Capitán.

Uno de los robots dio un paso al frente, se veía que la cubierta sintética que asemejaba a la piel humana, se había caído en las puntas de las orejas, mostrando un brillo metálico.

—Saludos capitán... Hernán Cortés—dijo el oficial después de escanear la frente de quien se suponía se llamaba Alfredo García—. El escaneo de su embarcación no se pudo efectuar en toda la nave, ya que hay una gruesa cobertura aislante que impide que veamos el interior de la bodega de cargas.

El capitán asintió con la cabeza y dijo de inmediato:

—¡Ah! Sí, ya veo que ocurre. Es por los

soportes que están a los costados del Flecha Azul, en la popa. Son los que sujetan a los recuperadores plásticos —dijo señalando a un costado del barco—. Vengan que se los muestro.

Los robots siguieron al capitán hasta el lateral de estribor de la nave y después de escanear aquellos brazos, asintieron con la cabeza.

—Tiene usted razón, capitán. El escaneo muestra que están construidos a partir de plomo, aluminio y cobre. En nuestros registros su embarcación figura como una de las autorizadas para recolectar desechos plásticos del océano —dijo alejándose del borde del barco y acercándose a la entrada que da a la bodega.

El marino Guzmán sacó de su bolsillo una granada de pulsos electromagnéticos. El capitán, lo miró de soslayo y le hizo una señal negativa con la mano, teniendo cuidado de que no lo vieran los robots. El marino volvió a guardar la granada.

—Está todo en orden por lo visto. Pueden seguir su curso —dijo el patrullero.

Los robots saltaron hacia su barco y luego de ingresar a la cabina, se fueron a toda máquina, perdiéndose en el horizonte, dejando una estela de espuma blanca detrás.

—¡Qué estúpidas máquinas! —exclamó María, una de las tripulantes.

—No son muy lumbreras —dije.

—Te lo dije muchacho, no hay de que temer. Los modelos de androides que patrullan los océanos son anticuados, unos lerdos. No descubrirían una pulga en un mono sucio.

Todos los marinos soltaron una carcajada, mientras seguían con sus tareas. El chiste no me hizo mucha gracia, sin embargo, solté una carcajada forzada. En mi mente volvió a dar vueltas lo que dijo esa máquina: capitán Hernán Cortés.

—Disculpe Capitán García o Cortés, no sé cómo debería llamarlo —dije enfatizando esto último.

El aludido me miró sin borrar la sonrisa de su cara.

—Mi santa madre me llamó: Alfredo García. Si me deja explicarle porqué la máquina me llamó así, verá que tiene mucho sentido.

Mili asomó la cabeza en cubierta con un turbante metalizado, y al ver que todos reían salió sin cuidado.

—Gracias por avisarme —dijo acercándose a mí para darme un puñetazo suave en el brazo—. No daba más de los nervios allí abajo, y ustedes aquí pura risa.

—¡Hey! No es que yo la estuviera pasando genial aquí arriba, pero tienes suerte, el capitán me iba a explicar por qué el robot patrullero lo llamó, Hernán Cortés.

Mili observó intrigada, sin acabar de entender que era eso de Hernán Cortés.

—Volvamos a la bodega, trataré de mostrarles por fin lo que transporto —dijo bajando las escaleras.

Lo seguimos con intriga. ¿Que era aquello

que el capitán llamaba: el secreto de su éxito?

El capitán abrió el contenedor plástico de manera rápida y sin protocolos, quizás consciente de que otro imprevisto podría interrumpirlo en cualquier momento.

—Aquí lo tienen, el secreto de mi éxito —dijo mostrando sobre su palma, algo similar a un grano de arroz con brillos metálicos apenas perceptibles.

—¿Es lo que creo que es? —dijo Mili rascándose la frente.

—¿Qué es? —dije mirando la expresión asombrada de Mili.

—A si es, señorita Hop. Es lo mismo que usted tiene en la frente: un chip biométrico.

Quedé anonadado. Tenía entendido que los chips eran fabricado exclusivamente para la persona que lo portaría, no era algo que se produjera en grandes cantidades. Supe de personas que estuvieron meses esperando a que les llegara el suyo.

—¿Pero cómo? ¿De dónde los sacaste? Tenía entendido que si se sacan del cuerpo se destruyen, además de dejar una horrible marca en la frente.

—¿Qué dices, Maverick? Se ve que son nuevos —dijo Mili tomando uno—. ¿A quien se los vende?

El capitán se cruzó de brazos orgulloso. Volvió a tomar el chip con mucho cuidado y lo colocó en su recipiente.

—La resistencia que lucha por los derechos laborales de los humanos y los religiosos que no desean implantarse este chisme, pagan bien por uno de éstos —explicó.

—Pero si no desean implantarse uno, ¿Para que lo quieren? —pregunté intrigado. Mili asintió con la cabeza.

—Observen esto —dijo el capitán sacando un trozo de piel de su frente.

Mili se llevó las manos a la boca incrédula.

—Y así es como se engaña a un sistema opresor —dijo poniendo sobre su palma el cuadrado diminuto dónde estaba pegado el chip biométrico —. Lo mejor de esto: es que puedes ponerte el nombre que quieras y la profesión que desees.

—¿Y el dinero? —dije asombrado—. ¿Puedes poner dinero allí?

El capitán sonrió y me guiñó un ojo.

—Estaría genial eso... Pero no, el dinero debes ganarlo, pero funciona para almacenarlo cómo cualquier otro. La ventaja es que puedes quitarlo cuando quieras, ósea, si tienes un problema y quedas marcado por la justicia, solo tienes que cambiarlo por otro nuevo, siempre y cuándo no registren tu rostro.

—Ahora entiendo por qué lleváis capuchas —dije recordando la noche en que embarcamos.

—¿Es seguro utilizar uno de esos en España? —preguntó Mili mirándome.

—Claro, allí es donde más lo utilizan. Podrán adquirir uno cuando bajemos en el puerto oculto de Madrid —dijo volviéndose a pegar el trocito de piel en la frente—. Te obsequiaría uno, pero están contados. El contratante es muy riguroso a la hora de controlar su cargamento.

—Lo imagino... De llegar a perderse uno y que este cayera en manos de la justicia, sería desastroso.

El capitán asintió levemente, con una media sonrisa en el rostro.

—Exacto, controlarían más a las personas mi amigo, acabarían con nuestra vida cómoda —dijo acariciando su barriga—. El sol ya se comienza a ocultar. Vamos a comer: no encontrarán un pescado más fresco. Si mañana tenemos suerte, llegaremos al último control marítimo, antes de llegar a Madrid.

—¿Es seguro ese control? —dijo nerviosa Mili.

El capitán se perfiló hacia los escalones que dan a la cubierta del Flecha Azul y sin voltear dijo:

—No pasa nada, está todo bajo control.

No sé por qué, pero siempre que alguien dice que no pasará nada, ocurre todo lo contrario.

6

Después de comer un buen trozo de atún a la plancha con arroz, salí a la cubierta del Flecha Azul. La brisa fresca me acariciaba la cara, y el mar estaba calmo, reflejando las estrellas en sus oscuras aguas, dando la impresión de estar flotando en el espacio. Recargada sobre las barandillas de babor, Mili contemplaba el horizonte. Me acerqué lentamente y me recargué en el frío metal a su lado.

—¡Maverick, que susto! —dijo soltando un suspiro.

—Perdón, no sabía que fuera tan feo —dije sonriendo.

Ella me clavó sus ojos verdes y me acarició el hombro.

—Nada que ver... A la luz de la luna eres muy parecido a un antiguo actor: Antonio Banderas.

—El actor de las películas clásicas. Bueno, no esta nada mal —dije mirándola con los ojos entrecerrados.

Ella sonrió y sin desviar la mirada me acarició la frente con el pulgar. Me alejé delicadamente, no sabía que hacer: podía intuir que ella quería que avanzara un poco más... ¿Pero que podría ofrecerle? Una vida en las sombras, dónde sé que ella no aguantaría mucho tiempo. Por más amor que sintiera por ella, nunca me pondría ese condenado chip. Sin embargo, Mili sabe que no cambiaré de forma de pensar en ese sentido y aún así se embarcó de forma clandestina conmigo. No sé que hacer.

—¿Te incomoda que viaje contigo? Me refiero a qué pensarán tus padres, no cualquiera llega con una mujer a su casa sin que esta sea nada suyo.

Me puse frente a ella y la tomé de las manos.

—¿Cómo qué no eres nada mio? Eres la única persona que siempre me apoyó y estuvo a mi lado en los peores momentos —dije acariciando su mejilla.

Nuestras miradas se encontraron en un momento de pura intensidad. Sus ojos resplandecían aún más verdes, me hipnotizaban, me conducían a sus labios húmedos.

—¡Eh, ustedes! Aquí están, les recomiendo que vayan a descansar. Mañana será un largo día —dijo el Capitán García desde el puente.

«Salvado por la campana, me dije». Solté a Mili y le hice un gesto con el pulgar al capitán. Este asintió y volvió a entrar.

—Será mejor que vayamos a descansar —dije.

Mili no dijo nada, solo bajó la mirada y se marchó a la Bodega. No me puedo imaginar lo que cruzaría por la cabeza de esa fantástica mujer. Con cuarenta años me estoy comportando como un *puberto,* debo tomar una decisión y dejar de llenarla de ilusiones.

Un rayo de luz iluminaba mis párpados. Me desperté deslumbrado y me cubrí la cara con un brazo. Volteé a ver a Mili, pero ya no estaba en su cama. De hecho no había rastros de sus cosas. Me levanté apresurado, y le dí de lleno a la lámpara con la frente: pude sentir el calor de la bombilla, junto con un suave ardor. Después de casi cuatro semanas en el flecha Azul, tenía la piel reseca y sensible debido al sol y al agua salada.

Al salir a cubierta la pude ver sentada en la proa con el Marino Guzmán. Cómo dicen en argentina: alto gato ese Guzmán, el baboso le enseñaba unos huesos blancos que por lo que llegué a distinguir acercándome un poco más, eran dientes de tiburón o vaya a saber qué bicho. ¿Quién se creía, para andar con el torso desnudo... *Tarzán*? Aunque viéndolo bien, tenía el pelo negro, largo y un físico marcado por el trabajo duro en alta mar.

—Maverick, ven a ver esto —dijo Mili al verme—. Guzmán me está enseñando su colección de dientes, mira este, que chueco y filoso es.

«Y no es lo único que desea mostrarte, pensé».

—¿Son tus dientes de leche, Guzmán? —dije tomando el diente deforme y amarillento.

El marino frunció el ceño ante la carcajada que Mili no pudo contener.

—¿Qué dices, tío? Cuidado —dijo molesto.

—Tranquilo, marino. Maverick es así... Cuándo tiene que hablar, calla y cuándo tiene que callar, se va de boca —dijo entornando los ojos.

Sentí por un momento que me estaba pasando factura, por el beso que quedó en el aire anoche. Me hice el loco y seguí observando el diente.

El Capitán García hizo sonar una alarma y todos los marinos corrieron a sus puestos: Guzmán por poco y se cae de bruces al enredarse con la camiseta que estaba anudada en su cintura y se soltó justo cuando emprendió la carrera.

—¿Qué ocurre capitán? —dijo Mili sobresaltada. Se puso de pie de un salto y se llevó las manos a la frente, formando una visera con ellas.

En esa posición, los pechos de Mili se marcaron en su camiseta blanca, dejando ver sus pezones. Supuse que la brisa los había puesto duros.

—¡Tú! Despierta —dijo el capitán chasqueando sus dedos—. Acompaña a la señorita Hop a la bodega y que se ponga los aislantes.

Al ver en el horizonte una estructura similar a un puerto en medio de la nada, supe que aquel era el puesto de control que estaba justo antes de llegar al territorio español. Acompañé a Mili hasta la bodega y la ayudé a ocultarse detrás de unas cajas.

—Ya empiezo a odiar estos arrancones —dijo molesta.

—Apropósito, ¿Dónde están tus cosas? Me levanté y no vi tus cobijas, ni tu mochila —dije mirando al rededor.

—Guzmán se ofreció a lavarme la ropa. No podía negarme —dijo guiñándome un ojo.

Simulé una sonrisa y salí de allí deseando que lleguemos cuánto antes a Madrid, estaba ansioso por alejarme de aquel barco y del baboso Guzmán.

El capitán me hizo una seña para que me quedara junto a la escalera que da a la bodega. Tomé una escoba que colgaba sobre la entrada y simulé barrer la cubierta. La gran estructura marítima cubría con su sombra al Flecha Azul a medida que este ingresaba a uno de sus muelles: contaba con tres espacios divididos por pasarelas, como si fuera un gran aparcamiento. El flecha azul se alineó al muelle y a la orden del capitán, los marinos desplegaron las defensas que protegían al casco de un posible choque con el muelle. Fijaron las amarras, recogieron las velas y por último el motor dejo de rugir.

En el muelle, los mismos robots de orejas peladas se acercaron. El capitán miró a sus camaradas y sonrió confiado. Los oficiales abordaron el Flecha Azul, y nuevamente hicieron hincapié en el obstáculo que impedía escanear la bodega de carga. Con la misma treta que incluía a los soportes de los recuperadores plásticos, el capitán se volvió a librar de los androides.

—Prepárense para zarpar. Aún nos quedan un par de horas hasta Madrid —dijo el capitán García, volteando en dirección al puente.

En ese justo momento, la tranquilidad que reflejaban los rostros de los marinos se esfumó. Por la escalinata subía a bordo un oficial humano.

—Un momento, estos oficiales de circuitos anticuados ya no están al mando de las operaciones aduaneras marítimas —explicó acomodando la

58

camisa azul que sobresalía debajo de su chaleco negro con la inscripción: aduana marítima.

Su actitud era la de un hombre arrogante, que conocía cada artimaña de los contrabandistas, sus gestos mostraban seguridad y avanzaba con paso decidido, observando cada detalle de la embarcación del capitán García, que lo observaba con gesto preocupado.

—Vamos a ver, Capitán... —hizo una pausa el oficial, para leer la pantalla que traía en su antebrazo—. Cortés, Hernán Cortés. Cómo el explorador y conquistador español, que logró hacer caer al imperio Azteca en México.

Mili y yo intercambiamos miradas. Se me hacía conocido ese nombre: ahora recuerdo que lo leí en un libro que ayudé a corregir. El rostro del Capitán García coloreó.

—A menudo me dicen que es un nombre con historia. No sabía que fuera tan famosa —dijo rascándose la cabeza inquieto.

—Soy el inspector Máximo Tobor. Esos soportes a los costados de su barco, no permiten que hagamos el control de su bodega como es debido —dijo asomándose a babor. Volteó a ver al Capitán—. Las cafeteras y yo tendremos que registrar a la vieja usanza la bodega. Si no le importa...

El capitán tragó saliva, sonrió nervioso y mirando a todos balbuceó:

—¡Eh! Sí, adelante... Pero necesitará más ayuda. Es una gran bodega. ¿Hay más personal en la plataforma, o solo son ustedes tres?

El oficial entornó los ojos azules, de seguro tratando de adivinar las intenciones del capitán. Después de unos segundos sonrió y negó con la cabeza.

—No. Solo somos nosotros tres. Pero como verá, no hay otras naves en espera. Hay tiempo —dijo avanzando hacía la bodega, con los dos robots detrás.

Pude ver a Mili, espiando lo que sucedía. Al ver al inspector avanzar hacia ella, se ocultó detrás de las cajas. Tal vez sin percatarse de que esas cajas eran transparentes y que hasta yo podía verla agachada detrás.

En el ambiente se podía percibir el nerviosismo. Guzmán se llevó la mano al bolsillo dónde guardaba la granada de pulsos. El Capitán sudaba a mares y los demás tripulantes estaban expectantes a la espera de un gesto de su líder.

—¡Ahora! —gritó el capitán.

El marino Guzmán, que ya traía la granada en su mano derecha, la arrojó a los pies de los tres oficiales. La forma en que rodaba la granada, me recordó al clásico juego de bolos. El inspector Tobor, miró de soslayo la granada y sin dudarlo saltó del Flecha azul sobre las barandillas de babor, dejando tras de si el brillante resplandor de la explosión, que chamuscó los circuitos de los androides.

Al caer, el inspector se golpeó la cabeza contra el muelle, lo que le produjo un corte en la frente que cubrió de sangre su ojo derecho.

—Suelten las amarras, izad las velas y enciendan los motores —ordenó el capitán García—. Señor Guzmán, ponga rumbo a ciudad oculta y a toda máquina. Tengo la sensación de que nos perseguirán más rápido que lo que tardas en quitarte la roña.

El Flecha Azul, salió disparado fuera de la aduana marítima, dejando una estela de espuma detrás. De pie sobre el muelle, Tobor nos contemplaba con la mano derecha sobre el corte en su frente, y una sonrisa gravada en su cara.

7

Según nos informó el capitán García, pusimos rumbo a la isla de Mallorca. Dijo que en situaciones como las que vivimos en el puerto de la aduana marítima, el trayecto a Madrid se modifica, para hacer una parada en la ciudad de Roca, ubicada en las *cuevas de Drach*. El dueño de las cuevas, que se las compró a un descendiente de la familia Servera, logro mantenerlas alejadas de la intromisión gubernamental: decretando la cueva como refugio religioso. Tengo la impresión de que encontraremos de todo, menos paz espiritual.

Sentados en la mesa del comedor, bebíamos café. El rostro preocupado de los tripulantes no me dejaba nada tranquilo. Mili como siempre fue la que rompió aquel silencio sepulcral.

—¿Guzmán, crees que nos den caza? —dijo sin dejar de ver el líquido oscuro en su taza.

—No tengas ni la menor duda de que será así. No tenía cara de ser uno de esos inspectores que se quedan tranquilos cuándo se les ve la cara de idiota —dijo y bebió un sorbo de café, al que luego le vertió un poco de licor de su petaca personal.

—¿Esas cuevas... Son seguras? Me refiero a que ¿no podrán encontrar al Flecha Azul allí? —dije.

El marino se encogió de hombros y esbozó

una sonrisa.

—No lo sé. La ciudad de Roca está bien resguardada, cómo te explicó el capitán: bajo la fachada de un lugar santo, dónde solo se va hacer penitencia.

El capitán entro al comedor.

—Estamos a media hora de llegar a nuestro destino. Preparen todo para desembarcar.

La entrada a *Porto Cristo* nos dejó maravillados, hacía tantos años que no respiraba el aire de las Islas Baleares, y me sorprendió que aquél lugar se mantuviera en un estado natural, poco visto en esta época de tecnologías y mentes artificiales. Antiguamente las cuevas eran un atractivo turístico, hoy en día es una ciudad fuera del control desmedido del gobierno: una verdadera resistencia a la opresión.

El Flecha Azul atracó en un muelle flotante, el mismo que desplegaron el día que nos embarcamos: eran plataformas de plástico resistente, con una base hinchable, que lo mantenía a flote sobre el mar. No era de lo más estable, pero como muelle clandestino portátil, cumplía su función a la perfección.

Frente a nosotros la vegetación cubría una escalinata tallada en la roca que ascendía. La seguimos unos treinta escalones hasta llegar a una base de concreto, que al parecer formaba parte del trayecto turístico hasta la entrada de la cueva. Efectivamente después de seguir el camino que serpenteaba, nos topamos con los escalones que bajaban rodeados de muros de roca, que se me hizo similar a la entrada del subterráneo.

—Veinticinco metros más abajo se encuentra la ciudad de Roca. No se dan una idea de dónde construyeron la ciudad —dijo Guzmán, haciendo de guía turístico. Siempre que decía algo, aprovechaba para tocar el brazo de Mili. Ya me empezaba a caer mal este tío.

Como lo habían señalado, el lugar estaba repleto de imágenes de santos católicos y cruces, que daban la impresión de estar en una iglesia. Varios metros más abajo, se comenzaban a oír los primeros murmullos de la ciudad. Era impresionante la cantidad de estalactitas que colgaban del techo, amenazando con caer y perforarte el cráneo en cualquier momento. Las sombras se deformaban en las paredes irregulares de la cueva, dando la impresión de que a cada paso que descendíamos, lo hacíamos al mismísimo infierno, escoltados por almas oscuras vigilantes a lo lejos.

Al llegar al último escalón, Mili y yo, contemplamos la maravillosa ciudad de Roca. Sobre el lago Martel, los ciudadanos habían construido sus casas y comercios: pude notar que estaban hechas a partir de roca y madera. Grandes pilares se hundían en el lago y sobre estos, planchas de madera hacían de base para la ciudad. No había calles, los bultos más grandes se transportaban a través de pequeñas embarcaciones cómo en los canales de Venecia. La luz eléctrica era escasa, y aparte de esta, no se veía otra cosa moderna. Vivían en un mundo de tono sepia: libros de papel, fogatas, niños corriendo y jugando con pelotas caseras de trapo o papel, sin móviles, televisión o Internet. Aquel lugar era un verdadero paraíso ante mis ojos y también lo era para mis oídos: una melodía se oía de fondo... Era... "The water is Wide" interpretada por *James Taylor*. La música provenía de una vieja radio a baterías, la cuál tenía un *pendrive* insertado.

—Que bella música... Siempre me transmitió paz —dijo Mili entrelazando los dedos a la altura del pecho.

Guzmán y el Capitán García se detuvieron delante de un grupo de policías: vestían camisa negra con la estampa de la bandera española con la leyenda policía, pantalón, gorra en el mismo tono, un cinturón con cargadores y una pistolera.

—Capitán García, creíamos que el Gobernador Ibáñez le prohibió volver a esta ciudad. Además no vino solo, sino que trajo a dos extraños, rompiendo claramente la ley del secreto de estado —dijo uno de los oficiales.

El Capitán García levantó las manos y soltó una sonrisa socarrona.

—Primero que pague la deuda que tiene conmigo, después hablamos de no volver aquí. Por favor, si nos pueden escoltar hasta su oficina, se lo agradecería, o bien, dejen que nos acerquemos solos.

El oficial estaba apunto de retrucar al Capitán,

cuando desde atrás se oyó una voz chillona.

—A un lado, déjenme pasar, oficiales.

Un hombre bajito, diría que de no más de un metro sesenta: calvo, vestido con un traje marrón y gafas redondas plateadas, se abrió paso hasta llegar a ponerse frente al Capitán García. Aquel hombre que llegaba a la altura del pecho del Capitán, lo veía con ojos furiosos.

—Creí haberte dicho que no te acerques a esta ciudad nunca más —dijo con las manos en su cadera—. Si estás aquí, significa que te persigue la justicia. Cómo siempre y...

—... Tranquilo *grandote*. No es tan así... Bueno, tal vez necesitemos ocultarnos... Pero será beneficioso para ti también.

—¿Y cómo me beneficiaría a mí, que te persigan las autoridades? Demasiado esfuerzo me causa mantenerlos lejos de aquí —dijo el Gobernador Ibáñez sacándose las gafas para limpiarlas con su camisa.

—Me debes mucho dinero. Si me ayudas, tu deuda quedará saldada. Lo único que debes hacer es: ocultar mi barco, y facilitarme los hombres necesarios para llevar mi cargamento al mercado negro de Madrid —dijo el capitán García, acomodándose el sombrero—. ¿Qué dices?

El gobernador se cruzó de brazos pensativo. Luego de unos segundos asintió con la cabeza.

—Espero que no sean drogas.

El Capitán García negó con la cabeza.

—Nada de drogas. Esa mierda no va

conmigo.

—Los ayudaré con una condición —dijo bajando la cabeza con gesto preocupado—. Si me ayudan a saber qué está sucediendo con los habitantes de la ciudad, tenemos un trato.

El capitán nos observó entornando los ojos. Luego volvió a mirar al gobernador.

—¿Qué hay de malo con los ciudadanos? —dijo alarmada Mili.

El Gobernador Ibáñez torció el cuerpo, hasta encontrarse con el rostro nervioso de ella.

—Creí haberte dicho, García: que no quería a ningún extraño en mi ciudad. Las patrullas de la capital se harían un festín si dieran con nosotros. Esta comunidad vive tranquila, justamente por estar en el anonimato. ¿Sabes el daño que nos podrían causar los espías?

El Capitán García volteó a vernos y soltó una de sus carcajadas gruesas.

—¿Crees que traería en mi barco a personas que me generan dudas? Tranquilo... Yo respondo por ellos —dijo poniendo su pesada mano en mi hombro—. Ahora podría contestar la pregunta de la señorita. Yo creo que es la que todos nos hacemos.

El gobernador se limpió el sudor de su frente, con un pañuelo que extrajo del bolsillo de su traje.

—No sabemos que les ocurre con certeza. El Doctor Miller dice que podría ser una bacteria, algún contaminante en los alimentos o en el agua: las personas sufren alucinaciones, otras se vuelven violentas y algunas están como idas, se mean y se cagan —explicó el gobernador—. Les recomiendo que empiecen por hablar con el Doctor Miller. Ha esta hora debería estar en su consultorio que está pegado a la iglesia.

—Antes que nada, necesitamos que nos brindes un bloqueador para el chip que nuestra amiga tiene en la frente, y deberíamos hackear su *SkinTouch* —comentó el capitán García.

—El Doctor Miller la ayudará. Es una pena que tan hermoso rostro, esté envuelto en aluminio. También enviaré a Lorenzo: el técnico de la ciudad, de seguro podrá arreglar ese teléfono raro. Que manía la de la gente, ponerse cosas debajo de la piel —dijo observando el brazo envuelto en aluminio de Mili.

—¿Quién se iba a imaginar que nos controlarían a tal extremo? De saberlo jamás me hubiera implantado estás cosas —dijo Mili apenada.

—Bueno, nadie sabía lo que ocurriría. Vamos a investigar que ocurre. Cuánto antes nos enteremos de lo que sucede en la ciudad, más rápido saldremos rumbo a Madrid —dijo el Capitán—. Ibáñez, guarda la carga del Flecha Azul en tus bodegas y esconde el barco. Cuando terminemos aquí cumplirás con tu parte del trato. Andando, vamos con ese Doctor. Tú, Guzmán, ayuda al gobernador.

La ciudad no estaba nada mal. Las personas se veían felices, los niños jugaban en las calles y solo se detenían para dejar pasar a las carretas tiradas por caballos, que llevaban los suministros de un lado al otro.

Los negocios mostraban sus mercancías al estilo antiguo, con cajones uno al lado del otro: papas, calabazas, tomates, lechugas por un lado y por el otro frutas de diferentes variedades; como las manzanas, peras, naranjas y hasta sandías enormes se podían ver. En la superficie, todo aquello fue remplazado por máquinas expendedoras autómatas, que maduraban las frutas y verduras si era necesario, restando su sabor natural.

Las carnicerías de ciudad de Roca, vendían carne real: de los ganchos colgaban conejos, pollos, cabezas de puercos y las heladeras exhibidoras mostraban los diferentes cortes de carnes de cerdo y res. Moría de ganas de probar un Bistec Ranchero, y no esa imitación barata de los laboratorios de biocárnicos. Cuándo la ola verde por fin llegó a pudrir las mentes frágiles de los jóvenes allá por el dos mil cuarenta: los derechos animales tomaron impulso y lograron prohibir la carne animal en casi todas partes. Aquel día nació la comida sintética legal, y la comida real estaba prohibida, o por lo menos lo estaba para la mayoría, los políticos y los demás ricos seguían consumiendo animales y sus derivados. Según las publicidades propagandistas, la biocarne estaba compuesta por proteínas, lípidos, almidón, colorantes naturales y agua. Las células musculares se cultivaban en laboratorios especializados en biotecnología celular. Por último empleaban las impresoras 3d que ayudaban a darle una forma apetitosa.

Por fin llegamos a la iglesia de la ciudad, construida a la antigua: tallada sobre la roca. Su estilo me recordaba a las iglesias de Lalibela, en Etiopía, que datan del siglo XII y XIII, dato que aprendí en una traducción que hice a un libro: una especie de guía turística sofisticada.

A un lado, en una casa de roca y troncos, un letrero de madera rudimentario ponía: Hospital.

—Así debían de ser los hospitales en el mil ochocientos —dijo Mili, observando el cartel—. No se ve muy higiénico la verdad.

—Hay mucho polvo. Creo que las carretas lo traen hasta aquí abajo —dije.

El capitán, que se mantuvo en silencio todo el viaje carraspeó.

—Entremos de una vez... Después haremos turismo.

La puerta blanca de madera dura estaba pesada. Me tuve que recargar sobre ella, que se abrió con un chirrido espantoso.

—¡Ay! Un poquito de grasa, no vendría mal. Con la cantidad de animales que matan aquí, no creo que les haga falta aceite —dijo Mili, cubriéndose los oídos de manera exagerada.

A mi entender, solo buscaba una excusa para emitir un comentario acerca de la matanza de animales para su consumo. Ahora que lo pienso, estaba muy pálida frente a la carnicería. Es impresionante como la publicidad y la invasión a tu mente desde los diferentes medios de

70

comunicación, pueden lavarte la cabeza hasta el punto de que creas cómo tuya, una idea implantada. Eran impactantes las imágenes que utilizaban cómo símbolo: su logotipo de lucha era la cara de un bebé humano entre dos panes repleto de sangre y mostaza. Según los animalistas, comer animales era lo mismo que comer a cualquier otro ser vivo como por ejemplo: un bebé humano... La carne es carne decían. Mi opinión al respecto es que fuimos hechos para comer carne y otras cosas. No podemos negar nuestra naturaleza. Deberíamos eso sí, tratar con más respeto a los animales que sacrificamos, cosa que la necesidad de obtener dinero con sus muertes masivas, nos llevó a matarlos en serie, en grandes fábricas de alimentos. Cómo siempre, lo que ensucia todo es el maldito dinero, y la codicia por tenerlo.

Las paredes de piedra del interior del hospital estaban grisáceas y envejecidas. Las luces tenues parpadeaban constantemente, dándole un aura de tristeza al lugar.

El olor a medicamento antiguo y al sudor humano se entremezclaban en el aire viciado, creando una atmósfera densa y pesada.

Las camillas eran simples: colchones desgastados y sábanas raídas se veían en los rincones. No existían monitores ni máquinas sofisticadas, solo dos enfermeras que andaban de aquí para allá.

Al pasar por enfrente de una habitación con la puerta abierta, vimos lo que parecía una sala de operaciones anticuada: la cama estaba cubierta con sábanas blancas limpias y a un costado se veía una mesa con múltiples herramientas de corte, como sierras, tijeras de diferentes tamaños y bisturíes. No era muy diferente a los hospitales de las zonas más pobres de África. Viendo todo aquello, ya no me molestaban las cápsulas médicas operadas por *SintecBrain*.

Una de las enfermeras, se acercó a nosotros al vernos. Se parecía a la enfermera de mi novela favorita de *Stephen king*. *Annie Wilkes* de *Misery* interpretada por *Kathy Bates*. La enfermera se detuvo frente a nosotros con una sonrisa cansada en el rostro.

—¿En qué los puedo ayudar?

El Capitán García se quitó la gorra negra y puso su mejor cara de galán.

—Venimos a ver al Doctor Miller. Nos envió el gobernador Ibáñez. Creo que necesita nuestra ayuda.

La enfermera puso cara de no entender muy bien de que va la cosa y haciéndole un gesto con la mano abierta, nos invitó a seguir por el pasillo.

—Al final está la oficina del Doctor Miller. Sigan por favor y llamen antes de entrar: está con alguien —dijo la enfermera y se marchó.

El capitán la siguió con la mirada hasta que se perdió dentro de una habitación. Estoy seguro de que le observaba su ancho trasero.

—Andando... —dijo el Capitán emprendiendo la marcha.

El Capitán se acercó primero a la puerta y le dio dos toques con su puño cerrado. Su mano pesada hizo resonar la puerta con estrépito.

—¡Eh! Sí... ¿Qué sucede? —dijo alarmada, una voz masculina.

Luego se oyó a la misma voz decir:

—No sé quién es... Encuentra eso de inmediato. Lárgate.

La puerta se abrió. Un hombre de chaqueta oscura y botas de goma salió apresurado golpeándome con su hombro. Un viejo hombre calvo, con gafas de Carey salió detrás de él.

—No se alarme Doctor. El Capitán García tiene mucha energía para tocar la puerta —dije tratando de tranquilizar al pobre viejo—. Venimos de parte del gobernador Ibáñez, mencionó que necesitaba ayuda con los ciudadanos de la ciudad.

El Doctor Miller respiró aliviado, llevándose las manos al pecho.

—Sí, es verdad. Están sucediendo cosas extrañas en los alrededores y no tengo tiempo de investigar que sucede. Pasen... Pasen a mi oficina.

Salimos después de media hora. El Doctor nos explicó un poco más de lo que ya nos había dicho el gobernador. Nos ayudó con el chip biométrico de Mili y el mismo manipuló su *SkinTouch*. Según el Doctor, las personas de la ciudad presentaban momentos de locura y pérdida de la memoria. La mayoría de los casos se veían en los jóvenes.

Decidimos separarnos; Mili vendría conmigo por un lado y el Capitán iría solo por el otro.

—Bueno... ¿Ahora por dónde empezamos? —dijo Mili mirando al rededor.

Antes de entrar al hospital, había visto una cantina al otro lado de la calle.

—No tengo la menor idea de cómo piensa un detective, pero si las películas sirven de algo, el mejor lugar donde encontrar chismes del pueblo es la cantina —dije señalando el viejo edificio.

—Buen punto de arranque, vamos —asintió Mili.

Antes de cruzar, una carreta casi me pisa el pie con su enorme rueda de madera y metal. Transportaba cajones con latas de conservas.

—¡Ten cuidado, Maverick! No estás en la ciudad. Los vehículos aquí cuentan con el error humano y animal.

Cruzamos la calle de madera que sonaba cómo los muelles en la Costanera río platense. Debajo el lago Martel nos observaba cómo un ojo oscuro enorme. Sobre nuestras cabezas las enormes estalactitas lucían amenazantes cómo las fauces de un gran cocodrilo.

En la pared exterior de la cantina, una lámpara eléctrica de las que se recargan con un dinamo, colgaba debajo del letrero.

—¿A qué huele? —dijo Mili, arrugando la cara.

—A borracho —dije sonriendo.

En el interior había mesas redondas de

madera, al estilo de los bares de las películas de vaqueros. En el fondo, una barra se extendía de pared a pared, y detrás un cantinero vestido con camisa azul y un delantal de cuero marrón claro, nos observaba con una sonrisa pintada en la cara. Los borrachines nos miraban con la vista perdida. Los que estaban más sanos, se ajustaron los sombreros queriendo ocultar su cara de nosotros.

—Buenas tardes, ¿que desean beber? —dijo el cantinero con voz amable.

Decidí que no era buena idea arrancar con las preguntas de inmediato, y a decir verdad: esas botellas de whisky añejo se me antojaban mucho.

—Un whisky para mí, y para mi compañera... —dije esperando a que completara el pedido Mili

—... "una ciruela sola flotando en perfume, servida en el sombrero de un hombre"

Tanto el cantinero como yo nos quedamos pensando lo que acababa de decir Mili.

—Es broma —dijo soltando una carcajada—. Siempre soñé con pedir algo así en un bar, como lo hizo la parodia de *Yoko Ono*, en *los Simpson,* una antigua caricatura que me gustaba muchísimo. Una gaseosa o jugo estaría bien.

Al cantinero no le hizo mucha gracia al parecer. Con el ceño fruncido le sirvió un jugo morado: uva tal vez.

—Disculpe a mi amiga. No sale mucho —dije encogiéndome de hombros.

Sentí una fuerte patada que me hizo lagrimear.

—Que ciudad tranquila, me encanta la paz que hay en este lugar. No hace mucho que estoy aquí y ya me enamoré de su gente tranquila y sin problemas —dijo Mili.

Bebió un sorbo de aquel líquido morado y por su gesto, no le agradó nada. El cantinero esbozó una sonrisa maliciosa.

—Las apariencias engañan señorita. Últimamente lo que menos hay en la ciudad es paz.

—¿Por qué lo dice? Creía que en una ciudad pequeña, todos se conocían y se ayudaban —dije, bebí un trago de aquel whisky que me cocinó la boca y la garganta, haciéndome toser.

—*Pueblo chico, infierno grande,* dice el dicho. Antes tal vez éramos una comunidad más unida, pero desde que el *Neurotrance* llegó a las calles, todo cambió. Todos dicen que son cosas mías, que tal droga no existe en esta ciudad ya que está prohibido vender o consumir sustancias alucinógenas a excepción del alcohol.

—¿Y cómo sabe que existe algo así? —dije.

El cantinero se apoyó en la barra para acercarse un poco más a mí.

—Escuché a unos extraños como ustedes, que vinieron a beber por primera vez, decir que ya habían entregado el *Neurotrance* a sus contactos aquí en ciudad de Roca. Tenían mucho dinero del bajo mundo...

—... Del bajo mundo. ¿Qué tipo de dinero es? Nunca oí hablar de esa moneda —dijo Mili intrigada.

El cantinero observó la vincha inhibidora que El Doctor Miller le había dado para bloquear el rastreo de su chip biométrico.

—Me imagino que no hace mucho que se sumergieron en el submundo. El dinero oscuro o del bajo mundo: son monedas fabricadas a partir de la plata y el oro. Cómo no se utilizan chips, lo único de valor para comerciar son las monedas hechas con estos metales preciosos, como en la antigüedad. La segunda forma de comerciar en el bajo mundo es a través de los chips biométricos hackeados, aunque es más peligroso.

—¿Conoce a alguien que se esté drogando con esta sustancia? —dije.

El cantinero lo pensó unos segundos y por fin dijo:

—Hay un chico, Billy Benson... Es hijo de un maestro inglés que vino escapando de la tecnología hace unos años. Según dicen, lo vieron hablando solo y es agresivo de a ratos. Creo que cuando no se mete esa porquería se puede hablar con él. Su padre dice que sufre de esquizofrenia, yo creo que está más duro que esta barra de Roble.

—¿Dónde lo podemos encontrar? —dijo Mili.

El cantinero pensó por unos segundos, limpió un vaso con un trapo sucio, lo que me hizo replantearme volver a beber el whisky que aún tenía en el mío.

—Creo que lo podrán encontrar a las afueras de la ciudad. En la Mandíbula del Diablo: es un lugar que todavía no fue poblado. Vayan por detrás de la iglesia y sigan avanzando hasta donde comienzan los andamios de madera que utilizan para construir en esa zona —Se llevó el dedo índice al ojo derecho—. Mucho ojo allí, los vagos se juntan en esa zona. Yo creo que allí es donde se drogan.

—Gracias por la información. Iremos ahora —dije levantándome de la banqueta.

—Y otra cosa... Yo no les dije nada —dijo mirando al rededor.

—No se preocupe, sabemos ser discretos —dijo Mili acomodándose el vestido.

Salimos de la cantina y cruzamos la calle. «Qué raro ver a una cantina en frente de la iglesia», pensé. Un pasillo angosto nos llevó detrás del templo religioso. Avanzamos por una calle que se iba haciendo cada vez más angosta hasta llegar a las estructuras de maderas que utilizaban cómo rampas y andamios. Detrás, una formación de estalactitas y estalagmitas que le daban el nombre de Mandíbula del Diablo se extendían hasta perderse en la oscuridad.

—¿Crees qué sea seguro ir allí? Se ven muy picudas esas rocas —comentó Mili tocando la punta de una estalagmita.

—Solo nos acercaremos hasta donde sea seguro pisar. Iremos costeando las formaciones más grandes, sin perder de vistas las que están sobre nuestras cabezas —dije mirando al techo.

Mili se acercó a mí y me abrazó. Podía sentir su cálido cuerpo... no lo sé, no podría explicar lo nervioso que me puse en ese instante.

—¿Qué es eso? Algo se movió en la oscuridad —dijo sin apartar la vista de una zona muy oscura

Traté de ver algo en ese lugar. La oscuridad era impenetrable.

—No puedo ver nada. Vamos a acercarnos un poco más, no tengas miedo.

Mili me soltó. Avanzamos unos metros observando el suelo por dónde pisamos y lo vi...

—Ahí, veo una luz tenue. Alguien está fumando en la oscuridad o algo así —dije.

—Sí, lo veo.

—Tu linterna, la que tienes en el *SkinTouch:* ¿aún funciona?

Después del ajuste que le dio el doctor en el hospital, no estaba seguro de que funcionara, según dijo solo había quitado la función de geolocalización. La luz led encendió, enfocando a dos chicos delgados, vestidos con remeras negras y pantalones raídos. Uno era rubio de piel blanca y el otro moreno.

—Hola... ¿Chicos están bien?

Los jóvenes se pusieron de pie. El más bajito, de cabello rubio entornó los ojos poniendo su mano derecha abierta entre su rostro y la luz.

—¿Quiénes son ustedes? Váyanse de aquí.

—No queremos molestar. Estamos buscando a un chico llamado Billy Benson.

—¿Qué carajos quieren con él? —dijo el rubio.

—No hables así Billy, no parecen peligrosos. No tienen pinta de traficantes.

El rubio volteó a ver a su compañero.

—Cierra la boca Marcos. Ya te dije que no digas nombres al hablar, idiota. ¿Cómo sabemos que no es uno de ellos?

Era evidente que estaban enchufados con algo. También el hecho de que no estaban en buenos términos con los traficantes de drogas, tal vez le debían dinero: algo típico entre los *drogatas*.

—¿Uno de quién o cuáles? —dijo Mili.

—Uno de los trafi, traficantes... Esos tipos raros. —Se trababa al hablar y babeaba.

—Para tu suerte, no somos traficantes —dije.

En realidad, veníamos en un barco contrabandista, repleto de mercancías ilegales. En cierto modo... Si somos traficantes al saberlo y no denunciarlo.

—Estamos investigando la razón por la cuál los habitantes de esta ciudad tranquila, se comportan de una forma no tan tranquila —explicó Mili.

—No sé nada de drogas. No sabemos nada. —Billy, se rascaba de forma compulsiva el brazo derecho.

—Tú nombraste a los traficantes, lerdo —dijo el moreno, que estaba recostado contra una roca.

Billy volteó enfurecido con su compañero. Se acercó y le pateó las botas, sin embargo, el moreno no reaccionaba, se había desmayado.

—Espero y te ahogues con tu vómito, bocazas

—dijo Billy, riéndose nervioso mientras miraba a los lados.

—Escucha, Billy... Solo dime de dónde sacas la droga y nos iremos de aquí —dije con las manos extendidas mostrando las palmas.

—No puedo decir nada. Si lo hago deberé matarme o matarán a mi familia. ¿O por qué creen que hay tantos jóvenes ahorcándose en la ciudad? —dijo volteando a ver la ciudad—. No debí decir eso.

—Tranquilo, te ayudaremos. Solo tienes que...

Milagros no pudo terminar lo que decía. Billy salió corriendo hacia los muelles, con una energía que no se veía en él.

—Ayuda al otro chico. Yo iré tras él —dije empezando a correr.

Billy era rápido, sin embargo, y para mí sorpresa, yo estaba corriendo a buena velocidad, después de varios metros aún tenía aliento. Creo que la falta de grasa en las cosa sintéticas que consumía, ayudaron un poco. El chico dobló por la esquina de una casa en construcción, saltó una pila de rocas y se deslizó por debajo de unas rampas. En mi cabeza me veía haciendo lo mismo, luego lo pensé mejor y decidí rodear todo: no me iba a romper una pierna o la cabeza intentando atrapar al chico. Era cuestión de ver dónde se metía y luego mandar a qué lo apresen, por medio del gobernador.

Llegué hasta el final del callejón que se abría en tres calles. No había señales de Billy. Caminé tranquilo, examinando el lugar. Las dos calles a mi derecha terminaban contra la roca de la cueva y la de la izquierda seguía más allá de mi vista. Decidí seguir corriendo por esta última, con lo último de energía que me quedaba. De pronto, detrás de un muro de madera, pude ver por una abertura entre las maderas, una cabellera rubia. Te tengo, pensé y fui tras él.

En efecto era Billy, se asomó y al verme emprendió nuevamente la carrera. Lo noté jadeante, sus pasos vacilaban: era cuestión de minutos que se derrumbara.

—¡Detente Billy, no quiero hacerte daño! —dije ya sin fuerzas.

Me detuve exhausto, incapaz de correr un paso más. El chico malicioso esbozó una sonrisa y me hizo un obsceno gesto levantando su dedo medio. Sin previo aviso, un brazo musculoso emergió en la esquina de la última casa. Billy, riendo al voltear para burlarse de mi retraso, se topó de frente con aquel antebrazo robusto y se estrelló contra él, cayendo al suelo aturdido. Mientras me acercaba, pude distinguir al Capitán García frotándose el brazo izquierdo con evidente molestia.

—¡Qué cara más dura tiene este muchacho! —dijo el Capitán mientras revisaba sus bolsillos.

—¿Qué haces? ¿Lo golpeas y ahora lo robas? —dije desconcertado.

—No lo estoy robando, solo estoy buscando algo... ¡Ah! Lo encontré —extrajo del bolsillo de Billy un tubo plateado—. *Neurotrance.* Aún recuerdo su pestilencia.

—¿Conoces esa droga?

Era predecible que el Capitán García conociera de drogas y cosas chuecas, sin embargo, me extrañó que esa fuera de su agrado: teniendo en cuenta que te nubla el juicio y te deja fuera de combate como lo hizo con el moreno. Un Capitán contrabandista, no puede darse esos lujos con tantas patrullas autómatas.

—Me ofrecieron en una oportunidad llevar varios kilos, al mercado negro de Madrid. En esa oportunidad mi codicia fue mayor que mi moral y cumplí con el encargo. Meses después volví a Madrid y lo que encontré me persigue cada noche —dijo sacándose el sombrero, con gesto perturbado—. Todos esos jóvenes consumidos por esta maldita droga... Yo no sabía lo que hacía en las mentes de los jóvenes. No lo sabía.

Parecía sincero en lo que decía, sin dudas aquella nueva droga los tomó por sorpresa.

—¿Cómo crees qué está ingresando a la ciudad? Según el gobernador Ibáñez, procura que estás porquerías no entren. Debo imaginar que controlan los cargamentos en el muelle, además, no hay otros puntos de entrada a la cueva —dije.

—Por más que intentes mantener tu casa lejos del alcance de las ratas, se te van a colar igual. La estupidez humana esta dentro de todos.

—El gobernador solo nos pidió encontrar la causa de lo que estaba sucediendo. Es esa cosa que tienes en la mano. Tarea cumplida.

—Conozco a ese petiso: querrá que encontremos a los contrabandistas o por lo menos el medio por dónde ingresan la droga.

—Volvamos con Mili, ella se quedó con el otro chico que acompañaba a este —dije.

—Vamos. Pondré a este sobre la vereda: no queremos que lo pise una carreta.

El Capitán tomó a Billy por los hombros y lo arrastró hasta ponerlo sobre la vereda. Con la certeza de que nadie nos vio, volvimos.

Al llegar con Mili, el moreno estaba sentado a su lado.

—¿Todo bien? —dije mirando a Mili.

—Gracias a Dios, Marcos ya recobró el sentido. Estuve hablando con él, y me contó algunas cosas sobre esa droga extremadamente adictiva.

—¿Dónde está Billy? Milagros dijo que fueron tras él.

—No te preocupes. Se quedó descansando —dijo el Capitán.

Mili entornó los ojos, tratando de leer mi mente. Me conoce bien.

—Llevemos al chico al hospital. Luego veremos qué hacer —dijo el Capitán García.

—No, no quiero ir con el Doctor Miller, me siento bien —dijo poniéndose de pie tambaleando.

—No te preocupes, estaremos contigo todo el tiempo —Mili puso una mano sobre el hombro de Marcos—. Si te mareas y caes, esas estalagmitas te matarán.

—Esta bien, vamos —asintió Marcos a regañadientes.

Era difícil resistirse a la mirada dulce de la argentina. A mí en particular me cuesta mucho decirle que no.

Al llegar al frente del hospital, el Doctor Miller se encontraba recibiendo varias cajas de medicamentos e insumos médicos. Ni bien nos vio, fijó su mirada en Marcos.

—Amigos míos, que bueno verlos otra vez. Espero que no tengan lesiones —no dejaba de ver a Marcos mientras hablaba—. Veo que están acompañados. ¿Eres su guía turístico Marcos?

Había algo en su tono de voz que me inquietaba. Era como si no le agradara que estuviera con nosotros.

—No, papá. Estaba de camino aquí y me los encontré —Marcos nos observó fijamente.

—Bueno, como sea. Les presento a mi hijo Marcos, futuro médico de esta ciudad a mi retiro —dijo orgulloso.

«No creo que llegue lejos en su carrera médica, metiéndose esa porquería de *Neurotrance*», pensé.

—¿Tienen alguna novedad? —dijo ansioso el Doctor Miller.

—Estuvimos hablando con un chico llamado Billy: se estaba metiendo una droga llamada *Neurotrance*. Me dijo que las encontró en una caja que había llegado en uno de los barcos de suministros. Cuándo la probó creyendo que era un

85

analgésico para el dolor de cabeza, su mente salió volando y después de unas horas, ya recuperado: vio el potencial económico que podría obtener entre sus jóvenes amigos —explicaba Mili—. Decidió vender un par de dosis, que a los pocos días de su consumo se hizo viral.

El Capitán García le entregó el envase plateado con la droga dentro. El Doctor Miller estaba sudando, las gotas perlaban su frente, como si aquel envase irradiara calor.

—¿Se siente bien, Doctor? Parece que tiene fiebre —comentó Mili.

El Doctor se pasó la mano por la barbilla.

—Estoy bien. ¿Qué más le dijo Billy? ¿Saben junto a qué suministros vino la droga?

—No, Doctor... Ese detalle no se me ocurrió preguntar. Es mi primer día de detective —dijo sonriendo Mili—. Pero podemos preguntarle, sabemos dónde está... ¿No, chicos?

—La última vez que lo vimos estaba descansando y con el golpe que recibió, de seguro sigue allí —dije mirando al capitán.

—¿Golpe? —preguntó el Doctor Miller.

—Me refiero al golpe que debió darle la droga a su cerebro —atiné a decir.

El Capitán García sonrió con malicia y dijo volteando sacudiendo sus brazos con la gracia de un actor de teatro.

—¡Vamos a buscarlo!

—¡No, esperen! ¿Antes podrían hacerme un favor?

Estoy seguro al ver la cantidad de bultos en la acera, de que lo que nos va a pedir me reventará la espalda.

—Sí, que necesita, Doctor —dijo Mili.

«No... Lo sabía», pensé. El Doctor volteó a ver las cajas que estaban detrás de él.

—Me podrían ayudar a entrar esas cajas —dijo llevando sus manos a su espalda baja—. Mis ayudantes no llegaron aún y no puedo dejar eso aquí. No se vayan a contaminar.

«Viejo mañoso —pensaba—, y otro pensamiento se adjuntó a ese: ¿y si mi nueva vida, fuera de las leyes es esto...? Tener que cargar bultos como una mula de carga, sin derecho a quejarme, por un poco de agua y comida». De pronto observé a mi alrededor por primera vez. En aquel lugar apartado de todo, dónde debes hacer todo por tu cuenta, sin ayuda de una máquina, sin que una inteligencia artificial te diga que hacer y como hacerlo bien, era mi destino. Aquel lugar era el destino de todos los que no se marcaron la frente con ese chip controlador, opresivo, que violaba mi privacidad, que me asfixiaba de tal forma que me impedía gritar al mundo que me dejaran en paz, que no tenían el derecho a decirme con quién estar, dónde y que hacer con mi dinero. La visión se me oscureció y las manos me sudaban.

—¿Te encuentras bien Maverick? Estás muy pálido —oí la voz lejana de Mili, a pesar de que solo estaba a unos pasos de distancia.

Milagros, decidida, vino conmigo hasta

España sin saber si mis padres la aceptarían en su casa, francamente, ni yo sé si me aceptarán a mí. No quiero pensar en eso.

Tomé aire y traté de poner mi mejor cara, como siempre lo hice. No sé que sería de mí sin esa habilidad que tengo para ponerme diferentes caretas, con las que oculto mi fragilidad al mundo, un mundo que me comería vivo si me conociera cómo soy realmente.

—Me bajó un poco la presión, es todo. Entremos esas cajas —Dije.

Mientras metíamos los bultos al hospital, el Gobernador Ibáñez venía corriendo, se acercó a nosotros. Su cara mostraba preocupación.

—Gobernador, ¿qué lo trae tan a prisa? Espero que no sea diarrea, el baño está descompuesto —dijo el Capitán García, saliendo por la puerta de entrada del hospital.

—Siempre tan educado, Capitán. Estoy seguro de que lo descompuso uno de los troncos que salen de ese enorme trasero suyo.

Milagros se echó a reír. El Capitán soltó una carcajada más falsa que Judas.

—Vine a ver al Doctor Miller. ¿Ustedes no deberían estar averiguando que sucede con los lunáticos que cada vez son más? ¿Qué hacen trabajando aquí?

—Estamos haciéndole un favor al Doctor. Terminamos aquí y seguiremos con el asunto de las drogas —dijo el Capitán García.

El Gobernador Ibáñez abrió grande los ojos.

—Drogas... ¿Encontraron drogas ilegales aquí, en el hospital? —dijo sudando aún más.

—No... no lo sé. Tenemos que averiguar de dónde sacó las drogas, uno de los chicos que la vendía en la ciudad.

—Listo, esa fue la última caja —Dije sacudiéndome la ropa—. ¿Podemos irnos? Quiero terminar con todo esto y largarme a Madrid.

—¿Quién la estaba vendiendo? Si pudiera apostar, diría que fue Billy, ese afeminado no tiene buena pinta —dijo el gobernador.

Algo en su expresión me decía que sabía más de lo que trataba de aparentar. Tampoco me gustó cómo salió de su boca la palabra afeminado.

—Exacto, ese es el nombre del chico. Ahora vamos a verlo, y aclararemos todo de una vez —dije.

8

Mili, el Capitán García, y yo, fuimos hasta dónde habíamos dejado a Billy, inconsciente. Al doblar la esquina, el chico ya no estaba.

—Lo que imaginé: se fue y no preguntamos dónde vive. Tocará volver al hospital. El Doctor de seguro tiene su dirección —dije mirando al rededor.

El Capitán se acercó hasta donde estaba el chico, hincó una rodilla en el suelo y dejó la otra flexionada. Observaba la tierra suelta, que estaba sobre la acera.

—¿Qué ocurre Capitán? —dijo Mili acercándose intrigada.

Él, trazó una línea con su mano extendida, marcando en dirección a las casas en construcción.

—Estas marcas son de arrastre. Miren ahí —indicó unos surcos más profundos—. Alguien fue arrastrado hasta esos edificios en construcción.

—¿Crees que se llevaron arrastrando a Billy? —Dije dudando—. Tal vez él se arrastró hasta allí. No es fácil recuperarse de un golpe como el que le diste.

—Sabía que algo le hicieron a ese pobre chico —Mili se cruzó de brazos enfadada—. Vayamos a ver si no está herido... Brutos.

Sin decir más nada, se fue rumbo a los edificios guiada por las marcas en la tierra suelta. Más adelante vimos carretas con arena y otras con tierra para relleno. El nuevo barrio iba tomando forma de a poco: unas diez casas ya estaban en su etapa final de construcción. Las marcas que seguíamos, terminaban en la entrada de una casa de madera, a la que solo le faltaban las puertas y ventanas.

Dentro de la casa aún faltaba mucho para que pudiera ser habitable: los pisos eran de concreto, las paredes estaban sin revestir y el baño no estaba instalado. Cuando llegamos a la última habitación, quedamos en *shock*. Mili se llevó las manos a la boca, desviando la mirada. El pulso se me disparó a mil, y volteé a ver al Capitán: el ni se inmutó, aunque su cara mostraba una seriedad que no conocía.

—¡Qué horror! ¿Está...? —Mili no pudo terminar la frase.

El chico colgaba del techo, sus ojos abiertos reflejaban el terror y su lengua colgaba fuera de la boca.

—La cuerda le rompió el cuello. No creo que Billy se colgara solo —dijo el capitán—. La cuerda está colgada de una viga alta y no hay nada al rededor, que pudiera servir de apoyo para subir hasta allí, y además, sus pies están a un metro y medio de altura. ¿Ven algún banquillo en dónde se pudo parar, para luego brincar?

El Capitán García tenía razón: era imposible que sin una escalera o una base en dónde pararse, pudiera colocar la soga en el techo. Lo único que se me ocurría, era que alguien lo sostuvo mientras otro le colocaba la cuerda en el cuello, luego lo soltó de repente, haciendo que su cuello se rompiera al tensarse la cuerda.

—Lo colgaron —sentenció Mili intuyendo mis pensamientos.

—Eso me temo, señorita Hop. Debemos dar aviso a las autoridades. No quiero otro lío con la ley por hoy —concluyó el capitán.

—Miren esto —dijo Mili levantando algo del suelo—. Huele a tabaco. No podría decir si es reciente o de los constructores.

—Déjame verlo —el Capitán extendió su mano—. Yo diría que fue fumado hace poco, tal vez cuando estaban matando al chico.

—¿Cómo puede estar tan seguro, Capitán García? —dije tomando el cigarro.

—Como fumador de abanos sé distinguir ciertos factores, por ejemplo: el olor es fuerte, lo que indica que se apagó recientemente, además las cenizas son oscuras y compactas y por último, sigue húmedo. Si fuera viejo, estaría seco y quebradizo.

—Bueno, al menos sabemos que el asesino fuma. Vamos con el Gobernador Ibáñez —dije.

Pasando los edificios antiguos, más allá de la iglesia y el hospital, un palacio imponente se alzaba: el recinto municipal. Sus paredes de bloques de piedra, talladas con esmero por manos expertas, los techos soportados por imponentes vigas de madera, que formaban líneas rectas y curvas le daban una forma armoniosa. La gran puerta de madera trabajada, invitaba a detenerse a contemplar sus grabados.

La galería larga, repleta de estatuas de hombres y mujeres romanas: que parecían envueltas en sábanas, y con laureles sobre las orejas, nos escoltaban hasta la puerta del fondo. En uno de los lados se veía por la ventana a los jardineros atendiendo helechos y una variedad de hongos y flores subterráneas. Las lámparas parpadeaban, dándole un aspecto sombrío al lugar. Los murciélagos en el techo tampoco daban tranquilidad, chirriando y golpeando sus alas.

—¿A qué huele? —dijo Mili arrugando la nariz—. Huele ácido.

—Es el amoniaco del excremento de murciélago —concluyó el Capitán.

Mili se sacudió con asco. Nos detuvimos frente a la puerta que tenía tallado en la madera con letras elegantes: Gobernación. El Capitán golpeó dos veces la puerta, esta vez con más suavidad, en comparación a como lo hizo en el hospital.

—¡Adelante! —se oyó decir al Gobernador Ibáñez.

Entramos a la oficina. Me llamó la atención un cuadro de una virgen cargando a un niño y dos ángeles estaban a su lado.

—Que hermoso cuadro. Parece uno de esos caros que solo se ven en museos o colecciones privadas —dije sin dejar de contemplarlo.

El Gobernador Ibáñez volteó a ver la pintura como si no se acordara que estaba allí.

—Está pintura se cree perdida. Es *La Virgen con el Niño y dos ángeles* de *Raffaellino del Garbo*. Su valor actual es incalculable.

—Otro de los beneficios de estar fuera del control asfixiante del estado —dijo el Capitán García.

—Claro. ¿Y bien? ¿Averiguaron algo más?

Sobre el escritorio, un cenicero contenía los restos de dos cigarros. Me acerqué y leí la marca: era la misma que el del cigarrillo que traía en mi bolsillo, y que estaba en la escena del crimen.

—La mejor marca —dije dejando el cigarro en el cenicero junto a los demás.

—¿Cómo? Ah... esos cigarros... No, yo no puedo fumar: el asma no me lo permite. Esos son los preferidos de mi guardaespaldas. Creía que solo a él le podían gustar. Huelen fatal —dijo sin darle mayor importancia.

Noté que los cigarros eran del mismo tamaño, lo que dejaba claro que solo los fumaba hasta ese punto. El Capitán García, clavó su mirada en el pucho y luego en mí.

—El chico, Billy... Esta muerto —dijo Milagros—. Lo encontramos ahorcado en uno de los edificios en construcción.

El Gobernador Ibáñez hizo un gesto sorprendido. Estaba seguro de que su guardaespaldas tenía algo que ver con el contrabando de drogas. Para mí estaba claro que silenciaron al chico. Su error fue fumar en la escena del crimen.

—¿Se suicidó? Bueno, en realidad no me extraña: los drogadictos son propensos a deprimirse y más él que tenía varios problemas mentales. No era un chico normal.

—¿A qué se refiere con que no era normal? —preguntó Mili.

El Gobernador Ibáñez torció la muñeca con gesto femenino.

—Era un marica. Se la pasaba con el hijo del Doctor Miller: se dice que los vieron besándose. Una locura.

Mili se puso colorada: se llevó una mano al rostro, típica señal de que se encontraba a punto de mandar bien lejos al Gobernador. Tanto ella como yo, no podíamos creer que aún hubiesen personas con ese pensamiento que atrasaba cien años. El Capitán como siempre ni se inmutó.

—Que dos personas se quieran, no me parece una locura. Envidia me dan —dijo Mili con tono molesto.

—Es Antinatural. En mi ciudad no se conocían casos de esta perversión hasta ahora. Bueno... Creo que ya se terminó con su muerte. Su padre estará destrozado.

—No creemos que fuera suicidio. Hay indicios de que pudo ser asesinado y...

—... y de seguro fue una persona con pensamientos arcaicos el que lo mató —dijo molesta Mili.

—¿Qué pruebas encontraron? —preguntó con gesto fruncido el Gobernador.

—Ese cigarro no era mio, lo encontré a un lado de donde colgaba Billy. Además, no había forma de que él sólo se pudiera colgar de la manera que quisieron hacerlo parecer —dije.

—Hace años que no hay asesinatos en Ciudad de Roca. Y por lo que dicen, supongo que creen que el asesino es quién fuma esos cigarros, osea mi guardaespaldas ¿Verdad?

—Queremos hablar con él, solo así sabremos la verdad. ¿Dónde esta? —preguntó el Capitán García mirando al rededor.

—No está aquí. Lo mandé hacer un encargo. Tardará en volver —sus manos le temblaban—. Tengo una buena noticia para ti, Capitán.

—¿Ah, sí?

—Sí. Pueden irse de inmediato a Madrid. Uno de mis barcos los llevará junto con tu carga, hasta el mercado negro.

—¿Y que hay del favor que nos pediste? Todavía no sabemos quién metió la droga, y que pasó con Billy —dijo el Capitán García asombrado.

—Dejaré este asunto en manos de la policía local. Si es un homicidio, es cosa de ellos.

Sonaba razonable: nosotros no estábamos capacitados para investigar un asesinato.

—Bueno, creo que tiene razón. Zarpemos entonces —dije ante la mirada seria de Mili.

Llegamos hasta el muelle a las afueras de las cuevas de Drach. El barco: un *LCM-1E de Navantia*. Según el Capitán García, se utilizaban antiguamente para el desembarco de tropas. Hoy en día el ejército español cuenta con el *HMS* Acorazado, modelo 2050, capaces de imprimir sus propios drones. Recuerdo el día que lo mostraron en la televisión, destruyendo al régimen Norcoreano. Ese día los ingleses y sus aliados se hicieron con la victoria, sin despeinarse.

—Se ve algo viejo... Espero que no se hunda —dijo Mili arrancando algunos mejillones del casco.

Al barco oxidado, lo cubría una fina capa de verdín que delataba su avanzada edad.

—Este anciano nos llevará hasta nuestro destino sin problemas: sé reconocer un buen barco cuando lo veo —el Capitán le dio varias palmaditas en el casco.

—Bueno... Andando —dije.

Recogimos nuestras cosas y nos acercamos a la rampa de abordaje.

—¡Esperen, por favor ayúdenme! —dijo una voz a nuestras espaldas.

Volteé de inmediato. Era Marcos, el hijo del Doctor Miller. Su cara bañada en sudor y sus ojos muy abiertos, me pusieron nervioso. Daba la impresión de haber visto a un fantasma o algo mucho peor.

—¿Qué sucede, chico? ¿De que huyes? —el Capitán García, se acercó a él, mirando en dirección a la ciudad.

Marcos se detuvo frente a nosotros, se inclinó poniendo las manos en sus rodillas, agitado por el esfuerzo.

—Me... Me quieren... —se le dificultaba hablar—. Me quisieron asesinar.

—¿Qué...? ¿Quién te quiso asesinar? —dijo Mili poniendo su mano sobre el hombro de Marcos.

—El guardaespaldas del Gobernador Ibáñez, me emboscó cuando iba por unas cosas a la tienda de comestibles. Me golpeó, y cuando desperté, me encontraba amarrado en una de las casas en construcción, dónde mi querido Billy fue asesinado —las lágrimas recorrían sus mejillas—. Me confesó que él había matado a Billy, y que yo lo seguiría al infierno. Le pregunté: ¿por qué? Me contestó que por ser *maricas,* merecíamos lo peor. Además dijo que lo de las drogas era para inculpar a mi padre, y que Billy, la cagó al encontrar la caja. La caja que yo encontré.

Sus ojos se llenaron de lágrimas y le temblaba el labio inferior. La impotencia que debía sentir, no la podía imaginar, o tal vez sí, que otros te cataloguen por como eres, te vistes o con quién prefieres estar, te hace sentir que no puedes encajar y te hundes en drogas o alcohol: cómo me ocurría a mí, días después de enterarme de que me remplazarían por una máquina. Sentía que no valía nada, aún lo siento. ¿Quién tiene el derecho de decidir si eres o no merecedor de vivir en una sociedad sin que te apunten con el dedo? Sin embargo, ya no se veían estos tipos de discriminación. La sociedad, desde el dos mil treinta para acá, se volvió tolerante: se creía que con la muerte de los viejos de la generación pasada, el racismo, la homofobia y todos los tipos de discriminación existentes se extinguirían. Ahora entiendo que no es cosa de generaciones, sino de personas que no tienen otra cosa mejor que hacer, que fijarse en la paja en el ojo ajeno. Estoy seguro de que debe haber más personas homosexuales o con otros gustos personales, y que deben estar ocultándose cómo en el pasado, de tipos con poder que creen saber que está bien o que está mal... Hipócritas.

—¿Dónde está ese mal nacido? —dije.

Marcos, negó con la cabeza. Estaba quebrado, las palabras no le salían y se rompió en llanto.

—Quédate con Milagros. Nosotros iremos por ese asesino —dijo el Capitán García, tomando una barra de metal que estaba en el barco.

Salimos del muelle calle abajo, con dirección al palacio municipal. Teníamos intenciones de ir a contarle todo al Gobernador Ibáñez, pero algo me detuvo, una idea invadió mi mente: ¿y si el Gobernador Ibáñez, mandaba a su matón a silenciarnos, como lo hizo con Billy, y como después intentó hacerlo con su pareja?

Marcos había encontrado las drogas, al confundirse mientras buscaba analgésicos. Lo que me llevó a la idea de que las drogas estaban con el cargamento de medicinas. Optamos por ir primero a ver al Doctor Miller: si se entera que quisieron matar a su hijo, tal vez nos diga cómo llegaron esas drogas a su cargamento.

Entramos al hospital. Nos dirigimos sin anunciarnos hasta la oficina del Doctor. Golpeé dos veces la puerta.

—¡Adelante!

Al abrir la puerta, nos encontramos con el Doctor Miller, catalogando las medicinas que sacaba de una caja para luego colocarlas en una vitrina.

—¿Qué los trae por aquí? Tenía entendido que zarparían a Madrid hoy. El Gobernador me lo dijo cuando lo encontré en la barbería.

—¿Se enteró de lo que le sucedió a Billy? —dije.

El Doctor frunció el ceño. Luego se encogió de hombros.

—Es una pena que un chico de su edad tomara una decisión así. Las drogas pueden destruir tu mente.

—¿Sabía que el próximo en tomar esa decisión era su hijo? —dije ante la mirada sorprendida de Miller.

—¿A qué te refieres? Mi hijo no es un suicida, ni anda con drogas.

—Las drogas vinieron a la ciudad en un cargamento de suministros médicos. Su hijo Marcos, las encontró y junto con su pareja Billy, se colocaron. Luego se les ocurrió hacer dinero con ellas, y así se propagó por la ciudad.

El Doctor Miller se puso de pie. Su cara era una brasa y sus ojos se clavaron en mí como puñales.

—¿Qué clase de estupidez dice? Mi hijo, un futuro Doctor, no se estaría drogando.... Y mucho menos es una persona homosexual —dijo furioso.

—Sí, sí lo soy. Amaba a Billy y él me amaba a mí también. El guardaespaldas del Gobernador Ibáñez, lo colgó, y también me quiso matar a mí —dijo Marcos ingresando de repente—. Lo confesó creyendo que no podría contarlo, pero escapé.

—Pero... ¿Cómo...? Tú... ¿Eres adicto? ¿Eres homosexual? —las preguntas salían de la boca del Doctor Miller una tras otra—. ¿Te quisieron asesinar?

—Después hablamos bien papá. Lo único que te diré ahora, es que no soy adicto. Tomé las drogas creyendo que eran analgésicos, tienes que creerme. La idea de vender el resto fue de Billy. El Gobernador Ibáñez quiere meterte a prisión: por ese motivo metió esas drogas en tu cargamento. Cargamento que trae justamente su guardaespaldas.

El Doctor Miller se tomó la cabeza. Después de unos segundos de ir y venir por la habitación, finalmente dijo:

—Las elecciones... Su ambición por mantenerse en el poder, hizo que me la quisiera jugar sucio. Hablaré con los miembros de la Asamblea Comunitaria. Mandaré a prisión a ese infeliz —dijo golpeando el escritorio con la palma.

Después de que el Doctor Miller denunciara al Gobernador Ibáñez y a su secuaz, la Asamblea

Comunitaria envió a buscar a esos asesinos. Los acusaron de asesinato y contrabando de drogas. Encontraron en el barco que traía los suministros, papeles que indicaban el tipo de droga que deberían retirar y dónde. Además, al revisar el palacio municipal: encontraron fotografías de Billy y Marcos besándose a escondidas, las cuales tenían círculos rojos dibujados alrededor de sus cabezas.

Horas después, El Doctor Miller fue nombrado Gobernador por decisión de la asamblea comunitaria, y lo primero que hizo al ser nombrado: fue declarar a la Ciudad de Roca, libre de racismo y discriminación.

Mili esperaba en el barco, su cara mostraba preocupación. Me clavó su mirada de asesina, cruzándose de brazos.

—¿Por qué tardaron tanto? Marcos se fue corriendo y no pude seguirlo, no podía dejar nuestras cosas a cargo de estos sujetos que no dejaban de mirar mi mochila, a la espera de un descuido —dijo encendiendo su *SkinTouch*—. A ver...

Mi *Smartwatch* sonó con su típica melodía para mensajes.

—Veo que sí funciona. ¡No te costaba nada escribir!

—Menos mal que no estamos casados, sino me arrojarías por la borda —dije sonriendo, ante la mirada molesta de ella.

A veces me gustaba hacerla enfadar, solo para ver su hermosa cara enojada.

—No es necesario que estemos casados para que lo haga —dijo y sonrió—. Pero si quieres proponerme algo, intenta algo mejor.

De pronto mi cara ardía como si hubiera comido picante. Quedé mudo.

—Bueno, bueno. Partamos de una vez rumbo a Madrid, antes de que ocurra otra cosa que nos retrase —dijo el Capitán García.

En unas horas llegaríamos al mercado negro de Madrid. Según el Capitán García, sus calles son peligrosas y uno nunca sabe con qué se va a encontrar. Solo espero que mi madre se alegre de verme, y acepte a Milagros, aunque tengo mis dudas.

9

Con cada ola que golpeaba el deteriorado casco del barco, un chirrido metálico nos ponía los pelos de punta. El Capitán García sonreía sentado sobre un barril de ron. Creía que ese tipo de bebidas, solo se veían en las películas de piratas. Creo que sin tecnología moderna, el ron es la mejor distracción, sin embargo, yo prefiero el agua potable.

Mili estaba sentada a mi lado contemplando el mar.

—¿Estás bien, Mili? Te veo distante.

Mili volteó y me sonrió. Sus ojos verdes me parecieron hermosos, como si fuera la primera vez que los veía. El viento me traía su perfume natural: su piel olía muy bien.

—Estoy nerviosa. Me preguntaba: ¿Qué pensarán tus padres de mí? ¿Y si no les agrado?

—Es imposible que no le agrades, eres la mujer mas dulce, amable y comprensiva que conozco, además, eres divertida y simpática. Creo que te amarán más que yo —dije. Al caer en cuenta de las palabras que utilicé, un calor se apoderó de mí.

—Así que me amas... ¿De verdad?

Sabía que no me la iba a dejar pasar. Decidí que era tiempo de que me jugara por lo que sentía: una mujer como ella se merecía que no le anduvieran con vueltas.

—Te amo desde hace mucho tiempo. No sé cómo pasó, solo sé que un día desperté y no podía dejar de pensar en ti. Sin importar lo que pase, tú siempre estás a mi lado apoyándome —dije tomando su mano.

Su rostro colorió, y sus ojos se iluminaron. En ese momento lo supe con certeza, y me atreví a besar esos labios carnosos, temblando como una hoja al viento. Mi corazón latía con fuerza, su aroma rico me mantenía pegado a su boca, y mis manos se aferraron a sus caderas que irradiaban una calidez reconfortante.

El Capitán García se aclaró la garganta ruidosamente.

—Vengan a ver el Puerto de Palma. A cambiado mucho en estos últimos años. Desembarcaremos allí y un transporte de alquiler nos llevará hasta el mercado Negro.

A quién le importa el puerto, solo quería seguir besando a Mili. Después de tanta espera, de soñar con aquel momento... El Capitán lo arruina.

—¿Cómo es que las autoridades no clausuran ese mercado? Supongo que en su interior se venden cosas ilegales tan graves como los chips biométricos hackeados —dijo Mili

El Capitán García sonrió.

—Lo harían si supieran dónde está: su ubicación es secreta.

—¿Secreta...? ¿Cómo puede ser secreto un lugar que es visitado por muchas personas? —pregunté confundido.

Ya lo verán jovenzuelos. Los viejos y anticuados aún tenemos trucos para escapar al control enfermizo del estado. Hecha la ley, hecha la trampa.

Una alarma resonó en la cubierta del barco. ¡Puerto de Palma! Se oyó Por el altavoz. A pocos metros los barcos pesqueros autorizados y los veleros privados, estaban amarrados a los muelles. Al atracar en el puerto, puedes ver a la ciudad extenderse a lo largo de la costa. Su hermosa bahía de fondo, con su aroma a sal marina y el sonido de las gaviotas dándote la bienvenida, te invitan a soñar con una vida tranquila. Sin embargo, las pocas tiendas que pude ver a lo lejos tenían en su umbral, los detectores de chips biométricos.

Cada ocho o diez metros, cámaras domo vigilaban a todos, desde lo alto de postes metálicos celestes, con un altavoz debajo. En las calles los androides patrulleros rondaban y en el cielo los drones nos observaban.

—Capitán, no creo que sea seguro este sitio, me refiero a la cantidad de patrullas que se observan —dije nervioso.

—No te preocupes, las patrullas no pueden ingresar sin una orden. Los bultos están bien envueltos.

—Pero... ¿Y esas cámaras? —dije.

Mili se acercó junto a mí y puso su mano en mi hombro.

—Se nota que no te gusta la tecnología, de lo contrario sabrías que una imagen, vídeo o audio: no

106

pueden ser tomados como prueba del delito, por más que muestre y se escuche que estás matando a alguien —dijo simulando con su mano una pistola disparando a mi cara—. No te acuerdas como empezó la guerra contra Norcorea.

—Sí, lo recuerdo: un chico chino, realizó un vídeo con inteligencia artificial, dónde se mostraba a unos jóvenes Norcoreanos, matando y comiendo a unas niñas Norteamericanas.

—Exacto. El vídeo estaba supuestamente grabado desde diferentes puntos, con celulares diferentes, pero todo era falso. Aún seguimos pagando las consecuencias de la radiación que dejaron las bombas atómicas que se lanzaron.

La rampa se posó sobre la arena a un costado de los muelles. Dos hombres: uno de barba cana, y lo que parecía un traje de Neopreno negro, se acercaron empujando una plataforma de carga. El otro hombre de no más de veinte años, si es que no era más joven, vestía una camisa rosa y unos pantalones anatómicos negros, de los que se ajustan al cuerpo, subió abordo de nuestro barco sin aviso.

—Capitán, ese chico se subió al barco —dije sin perderle de vista.

El Capitán García se acercó a mí. Me puso una mano en la espalda y acercó su cara a mi oído.

—Amigo Maverick, esta parte del mundo cambió mucho desde que se fue a la Argentina. Aquí en la superficie, debes tener cuidado de como llamas a las personas: aunque físicamente parezca un hombre, Maicol se percibe mujer. No querrás violar ese tipo de derechos ni ofender a nadie —me dijo susurrando al oído, cuidando de que no lo oyera.

—En Argentina es igual, no te preocupes.

—No al nivel de España. Aquí puedes ir a prisión. Pero bueno... ella es una vieja conocida —dijo el Capitán García.

Maicol, lo observó y le dedicó una sonrisa al escucharlo mientras preparaba la carga.

—¡Ben...! ¡Ben! —gritó el Capitán García—. Viejo sordo.

El Capitán se acercó al hombre de barba cana y le dio una palmada en la espalda.

—Lleva todo al Mercado Negro. Nos veremos allá. Cuida bien mi cargamento y hay de ti si falta algo.

El viejo asintió, subió abordo del barco y se puso a trabajar.

—¿Cómo iremos hasta Madrid? —dijo Mili al tiempo que terminaba de cambiarse las botas por unas zapatillas más cómodas.

—Viajaremos en tren. Subiremos en la estación de Palma de Mallorca hasta la estación de Madrid Atocha, son unas dos horas más o menos. Podemos aprovechar el viaje para descansar un poco. Entrar al mercado Negro es agitado —nos explicó el Capitán García.

El Tren arribó a las veintidós y treinta horas. Mili y yo quedamos sorprendidos: según un letrero, se trataba de un *Maglev* de levitación magnética, que combinaba pilas de hidrógeno y a *SintecBrain* cómo cerebro de esta nave impresionante. Según el afiche, fue inaugurado hace tres años. Era azul metalizado con detalles blancos y no tenía ventanas al frente, donde deberían estar, se hallaba una inscripción: Sinbra.

—¡Estupendo! Venimos a España escapando de las IA, y la misma que me quitó el empleo, es la que conduce el tren. Una suerte... —dije entrando de mala gana.

Nos acomodamos en nuestro compartimento, en dónde cabían cuatro personas sentadas en dos sillones azules largos enfrentados. Una ventana táctil nos mostraba el paisaje, así como la temperatura, la hora y contaba con otras *apps:* noticias, películas y hasta una cámara para tomar fotos del exterior, que se enviaban a nuestro dispositivo personal. Debajo de la ventana había un gabinete de autoservicio, en dónde se podían pedir bebidas, infusiones y bocadillos. Sinbra de *SintecBrain* era la encargada de tomar la orden.

—Saludos, pasajeros. Mi nombre es Sinbra, hoy los asistiré en todo lo que necesiten para lograr que su viaje sea lo más placentero posible. ¿Se les ofrece algo...? ¿Un café tal vez?

—Un té de hierbas para mí —dijo Mili mientras toqueteaba la ventana táctil.

—¿Hay bebidas fuertes aquí? ¿Un whisky o una cerveza, al menos? —dijo el Capitán García estirando las piernas.

—¡Seguro! Tenemos whisky, Ron, Vodka,

cervezas, vinos... Si le gusta el whisky, tengo una cosecha Bowmore escocés de hace veinte años exquisito.

—Genial maquinita, quiero uno.

—Tengo problemas para escanear su chip biométrico, señor —dijo Sinbra.

El Capitán García se cubrió la frente con la mano derecha y con la otra se colocó la pegatina de piel con el chip hackeado.

—Listo, señor López Paz

El compartimento del tren se abrió y de él salieron un vaso de whisky, además de un té humeante de hierbas.

—Señor López Paz —dije sonriendo—. Necesito uno también, usted me entiende ¿No? —dije.

—Claro, claro... Cuando lleguemos al mercado, le conseguiré uno.

La IA volvió a emitir un sonido negativo, lo que me indicaba que estaba tratando de leer mi chip.

—También tengo problemas para detectar su chip biométrico, señor.

—No tengo chip, no estoy a favor de que me controlen —dije molesto.

—Entiendo... Es un R-A ¿Verdad? —preguntó Sinbra—. ¿Trae consigo sus papeles de vacunación?

—¿A caso crees que soy un perro? Si soy un R-A, será porque tú me quitaste mi empleo, maldita máquina

Mili colocó su mano en mi pierna. El Capitán García, se mantuvo en silencio.

—Lamento que mi utilización a gran escala, provocara el paro en su actividad. También debe tener en cuenta que la evolución no se detiene por casos particulares, y que en toda transición hay consecuencias —dijo Sinbra—. Sin embargo, tiene salud y amigos... Tiene más que muchas personas...

—... No me vengas con esa porquería de psicología barata que te pusieron a decir, para convencer a los que dejaste en la ruina. Una persona no puede vivir de la amistad, no come amistad y doy gracias de tener salud, y ruego que eso no cambie, ya que sin dinero no la podré recuperar. ¡Estúpida máquina!

—Tranquilo, Maverick. Yo siempre estaré contigo —dijo Mili tratando de animarme.

—Entiendo su frustración, pero eso no le da derecho a ser grosero. Si necesitan algo más, estoy a su disposición.

—Pide algo Maverick, Está vez te invito yo —dijo Mili—. ¿Qué se te antoja?

—Café... Gracias Mili, te lo pagaré.

—Sé que lo harás. Y si no tienes dinero, ya veremos cómo me compensas —dijo la rubia guiñándome un ojo.

La piel se me puso de gallina y los vellos del brazo se me erizaron. Nunca deseé Pagar tanto una deuda, como lo hacía en este momento.

—No sé que ocurre con mi sistema de escaneo, tal vez necesite mantenimiento. No puedo leer el chip biométrico de uno de ustedes: detecto a Milagros Hop, al señor Augusto López Paz, sin embargo, no puedo escanear a la persona faltante en este compartimento —dijo Sinbra.

—Pon su café en mi cuenta por favor, Sinbra. Gracias.

—Como usted guste.

—Pero si le acabo de decir que no tengo chip... ¿Ésto me remplazó...?

Me recosté en el sillón tratando de dormir un poco. Estaba agotado de manera mental y física. Cerré los ojos, sintiendo el aroma de Mili.

Me encontraba sobre la cubierta del barco otra vez, observé a mi alrededor y no veía a nadie, el mar estaba calmo y la brisa cálida traía consigo el aroma dulce de Mili. Sentí una mano suave y cálida en la espalda. Volteo y me encuentro con sus ojos verdes brillantes. Sus labios se acercan a mi boca hasta fundirse con mi cara. Me aparto al ver como todo su ser, se desvanece difuminándose en el aire.

—Despierta, Maverick —escuché susurrar a Mili mientras me sacudía del hombro.

—Mmmm... ¿Qué sucede? ¿Ya llegamos a Madrid?

Una patada en la pierna, me sacó del mundo de los sueños.

—Levántate bella durmiente. Tenemos problemas —dijo el Capitán García espiando por la cortina que cubría la puerta.

Alarmado me acerqué a él. Al ver por la

ventanilla de la puerta, vi a un policía que traía una *Wantedcard:* mi rostro en 3D, sobresalía de la palma de su mano. Una señora se acercó al policía, y la imagen cambió mostrando el rostro de Milagros. La mujer señaló nuestro compartimento con el rostro fruncido.

—¿Por qué tienen nuestra fotografía? —pregunté alarmado.

—El inspector de la aduana... Estoy seguro de que obtuvo las fotografías de los registros del gobierno Argentino —dijo el Capitán.

—¿Cómo supo de dónde somos? —dije intrigado.

El Capitán García se rascó la cabeza y se acomodó el cinturón.

—No lo sé. Tal vez los robots destruidos en el muelle de Buenos Aires, y nuestro encuentro en la aduana marítima, dónde Maverick no se cubrió el rostro, los delató. Hay cámaras por todas partes, de seguro quedaron registrados al ingresar a los muelles en Argentina —pensaba el Capitán en voz alta.

—¿Qué hacemos? Ahí viene —dijo Mili.

El Capitán levantó uno de los asientos: debajo había un compartimento amplio con almohadas y mantas. Las quitamos. Mili y yo nos ocultamos allí, mientras el Capitán García se ocultaba debajo del otro.

Escuchamos la puerta abrirse y la voz de uno de los oficiales.

—Tal vez se fueron al coche comedor. Yo iré

a ver, tú revisa el baño. Aún están a bordo.

Salimos de nuestros escondites con más dudas que certezas: ¿Cuánto faltaba para llegar a Madrid? ¿Qué hacemos si nos encuentran? Las granjas son —según leí—, lugares perturbadores, en dónde te hacen trabajar muchas horas, y dónde estás rodeado de la peor calaña de la sociedad. Estas cárceles son mixtas, ya que no hay diferencias entre hombres y mujeres: ante la ley somos todos iguales. Hace años que no hay cárceles para mujeres y hombres por separados. Según se dice en las noticias, no hay casos de violencia sexual en prisión, sin embargo, yo creo que son puras mentiras.

—Salgamos de aquí. Tal vez podamos ocultarnos con el equipaje —dijo el Capitán García.

Salimos al pasillo, uno detrás del otro. El equipaje estaba en los vagones finales, pasando el comedor. Al llegar hasta la entrada del comedor, vimos al policía que venía de salida. Era imposible pasar al siguiente vagón sin que nos viera, al igual que no era opción volver: su compañero venía detrás nuestro.

—¿Qué haremos? —dijo nerviosa Mili.

—Corramos al vagón de equipajes. Si nos ve y nos sigue, tal vez podamos reducirlo sin alarmar a los demás pasajeros —explicó el Capitán García.

Así lo hicimos, el Capitán pasó primero a toda prisa por delante de la puerta, luego lo hizo Mili y por último yo. Mientras cruzaba por delante del umbral, el oficial me clavó su mirada, al tiempo que se echaba a correr. Con una velocidad que le haría sombra al mítico *Usain Bolt.* El policía se acercaba a mí como un Guepardo a un cervatillo asustado. Entré y cerré la puerta corrediza, sujetando la manija con una barra metálica que estaba contra las estanterías, que se utilizaban para mantener ordenadas las maletas.

—Ahí viene —dije jadeando—. No creo que pueda quitar esa barra de metal con facilidad.

De pronto, la puerta se abre con un estrépito atronador. Quedé paralizado al ver al policía sosteniendo la puerta corrediza desencajada de sus guías. La arrojó a un lado y con voz calmada dijo:

—Ciudadanos. La justicia requiere que se presenten en el juzgado número uno de Madrid: se les acusa de contrabando, traspasar fronteras de forma ilegal y de atacar a oficiales de la aduana marítima. Por favor, manos a la cabeza, y de rodillas.

Mili se acercó a mí con los ojos humedecidos. Pude ver el miedo en su rostro y me aterró. Era mi culpa que ella estuviera pasando por todo aquello, y si terminaba en una granja, no me lo perdonaría nunca. Entonces lo decidí... Tomando a Mili de la muñeca, la puse frente a mí apretando su cuello con mi antebrazo y simulé que tenía un cuchillo en su espalda. Lo único que encontré fue un bolígrafo, pero de momento sirvió para confundir al oficial —o eso creía—, ya que ni se inmutó.

—¿Qué haces, Maverick? Suéltame de una vez —dijo sacudiéndose.

—Sígueme la corriente Mili —le susurré al

115

oído.

El oficial esbozó una sonrisa burlona.

—Puedo percibir en su tono de voz y en sus gestos que solo es una treta. Lo más probable es que intentes salvarla de ir a prisión, haciéndome creer que es tu rehén —dijo sacando las esposas.

Sin dudas los policías Españoles saben hacer su trabajo. Ese tipo descifró mis intenciones sin problemas. De pronto vi que el Capitán García salía de detrás de unos equipajes apilados contra la pared. Sostenía un palo de golf. Se acercó al oficial sigilosamente con el palo en alto, dispuesto a golpear la cabeza del policía, sin embargo, cuándo lanzó el golpe, el oficial flexionó sus piernas como un bailarín, quedando extendido a ras del suelo. Con el impulso propio de un resorte, el oficial salió disparado hacia arriba con el puño en alto, golpeando el mentón del Capitán García con fuerza, haciendo que se desplomara como un borracho.

Semejante destreza me dejaba en claro: que a la primera de cambio, estaría juntando mis dientes del suelo. Solté a Mili, no sabíamos que hacer. Decidido ante la inminente detención, que terminaría con los tres en la granja, me arrojé contra él, con la única esperanza de poder proteger a Mili. Traté en vano de golpearlo en el rostro, sus movimientos se anticipaban a los míos, esquivando cada ataque. Cuándo se cansó de jugar conmigo, me propinó un rodillazo en el estómago que me dobló al medio. Sentí el frío metal en las muñecas y supe que todo estaba Perdido.

La luz en el vagón se apagó y la penumbra se apoderó del lugar. Mili estaba contra la pared, sin dudas temblando de miedo, a la espera de ser apresada. El oficial caminaba tranquilo hacia ella, asiendo girar las esposas en su dedo índice.

—No se resista, todo terminará pronto —dijo el oficial en tono amable.

Pude ver que milagros sujetaba algo: un alambre o tal vez una cuerda. «Mili, no lo hagas, te lastimara», pensé, mientras trataba sin éxito de liberarme.

Para mi sorpresa, el policía comenzó a temblar, se sacudía de forma espasmódica y de sus orejas emanaba un humo blanquecino. De pronto, se detuvo cayendo de espaldas al suelo. Mili seguía sosteniendo el cable chispeante. Sin dudas mi percepción de ella estaba fuera de foco: de apariencia delicada y dulce, acababa de freír literalmente a un policía que tumbó al Capitán García y me redujo con facilidad a mí. Era la combinación perfecta entre femenina y ruda. Sin demoras, Mili revisó el bolsillo del humeante cadáver, tomó las llaves de las esposas y se acercó gateando hasta mí.

—Voltéate Maverick. El otro policía está afuera —dijo tratando de meter la llave en las esposas.

Liberado, me puse de pie. El Capitán García ya estaba recobrando el sentido. Se trató de sentar con torpeza, aún mareado por el tremendo golpe que recibió. Se tomó la mandíbula y fijó su mirada en el policía muerto.

—Buena, Maverick. No tenía fe en que pudieras con él —dijo poniéndose de pie tambaleando—. Ese tío pega duro.

—En realidad... Milagros fue quien lo derribó —dije.

—O más bien lo derritió —aclaró el Capitán García mirando el cable chispeante, que brillaba cerca de los pies del policía.

—¿Cómo supiste que tendría la potencia necesaria? En el interior de los trenes no hay más de uno a diez vatios —dije.

—Es el cable que alimenta los contenedores de objetos valiosos. Su seguridad utiliza más potencia. Además no lo sabía con certeza, fue suerte.

Un haz de luz azul cruzó frente a mí, seguido de un estruendo chispeante, que impactó contra la pared del tren.

—¡Están bajo arresto! —dijo el segundo oficial apuntando al Capitán García con su dedo índice derecho.

—Tranquilo, oficial... No queremos otra muerte —dije acercándome lentamente a él, con las manos arriba.

—Aléjese con las manos en la nuca y póngase de rodillas.

El Capitán García tomó el palo de golf que estaba en el suelo, fingió lanzar un golpe a la cabeza del policía que se agachó flexionando las rodillas, pero esta vez el Capitán cambió la dirección del golpe desde abajo hacia arriba, golpeando el rostro del oficial, que apenas y se movió.

Al ver la cara del policía quedé petrificado. Mili lo observaba con la boca abierta y el Capitán García retrocedió varios pasos, con los ojos muy abiertos. El policía se puso de pie, tenía la mitad de la cara colgando y sangraba. Pero lo que nos sorprendió aún más, fue ver cómo se quitaba el trozo de carne y piel, dejando al descubierto un cráneo metálico brillante, era como si sus huesos estuvieran cromados. Me recordó a una vieja película: *The Terminator.*

—Eres un androide, pero... Los robots patrulleros no se parecen a humanos ni tienen sangre real como tú —dijo el Capitán García balbuceando.

—Mi existencia es confidencial. Soy una superinteligencia *ASI,* creada para empatizar con los humanos y ganar su confianza. Debido a que mi existencia no puede salir a la luz, ustedes no saldrán de aquí con vida.

El Capitán García se volvió a armar de valor y con furia descargó otro golpe, pero esta vez el androide sujetó el palo con la mano derecha y con su mano izquierda aferró el cuello del Capitán, que en segundos, su rostro se puso azulado. Mili que estaba en la otra punta del vagón, me lanzó un pequeño extintor de incendios. Sin titubear, me abalancé sobre el policía, extintor en alto y le propiné un golpe tan fuerte, que su cráneo resonó como una campana. El androide soltó al Capitán

García, que no podía dejar de toser.

—¡Dale otra! —dijo Mili eufórica.

En ese preciso momento, por la puerta entro una pequeña niña, no tendría más de seis o siete años: vestía un vestido azul y un moño con forma de osito de peluche sostenía su peinado de cola de Caballo.

—Ese robot tiene sangre —dijo la pequeña.

Su inocencia no le mostraba lo que estaba sucediendo, y lejos de asustarse, se acercó al policía, que yacía en el suelo con la cabeza hundida.

—Aléjate de él, Corazón —dijo Mili acercándose a la niña.

Mientras ayudaba a ponerse en pie al Capitán García, escuché gritar a Mili. Sorprendido volteo a verla y me encuentro con el robot sujetando su tobillo. De inmediato dejé al Capitán y volví a levantar el extintor y corrí hasta ella. Levantando el matafuegos en alto, lo dejé caer con fuerza sobre su cabeza, abollando aún más su cráneo. La mano del androide se abrió, liberando el tobillo de Mili, que Rengueando y con gestos de dolor, avanzó hacía la salida del vagón con la pequeña en brazos.

Por el altavoz, Sinbra anunció el arribo a la estación de Madrid Atocha.

—Vamos, bajemos antes de que vengan más policías —dijo el Capitán—. ¿Cómo está tu pie, milagros?

—Cada vez duele menos. No sé preocupen por mí —dijo dejando a la niña en uno de los asientos—. Vete con tu familia, y recuerda no andar sola por un tren repleto de extraños.

La pequeña saltó del asiento y corrió por el pasillo hasta perderse en el vagón comedor.

—¡Por fin se abrieron las puertas! Salgamos ya... De seguro van a venir más oficiales —dijo el Capitán García encaminado hacia la salida.

De soslayo me pareció ver al robot moviendo su cabeza hundida. Su mirada deforme me heló la sangre. Quedé por unos minutos inmóvil observándolo, sin embargo, en ningún momento se movió. Bajé con el pecho agitado, aterrado al darme cuenta de lo cerca que estuvimos de terminar en una granja.

10

Apresurados, nos dirigíamos hasta la salida de la estación. Las puertas que daban a las escalinatas de salida, poseían un sistema de reconocimiento biométrico en su cerradura. El Capitán García nos detuvo cruzando su brazo frente a nosotros a modo de barrera.

—Esperen, esos sensores detectarán tu chip, Milagros. Si estamos siendo buscados, ya sabrán tu nombre...

—... Y yo no tengo chip —dije mirando los drones que se acercaban a la estación—. ¿Cómo saldremos de aquí? Esos drones nos reconocerán.

Los drones de reconocimiento facial, escanean los rostros de todas las personas al rededor, en busca de criminales o enfermos: son capaces de tomar la temperatura corporal, revisar bolsos y bolsillos, con escáneres de rayos X 6D. Están conectados con los registros criminales del mundo, que se actualizan a cada minuto. Fue una locura el día que los pusieron a funcionar, las noticias solo hablaban de ellos.

—Usaremos mi chip los tres. Milagros, dame ese envoltorio de chocolates —dijo el Capitán apuntando al bote de basura.

Mili se lo entregó, la intriga refulgía en su mirada. El Capitán lo abrió y extrajo el envoltorio interior de papel aluminio.

—Acércate milagros, voy a cubrir el chip de tu frente con esto —Colocó el papel doblado en un pequeño cuadrado, sobre la frente de Mili, para luego colocar el trocito de piel sintética que contenía el chip falso—. Anda, acércate a la puerta.

Mili se acercó. Se escuchó un timbre satisfactorio, y la puerta se abrió. Tratamos de pegarnos a ella, con intención de pasar, pero el espacio estaba pensado para una sola persona. Solo cuando la puerta se cierra detrás tuyo, la otra que da acceso a las salida se abre.

—Esperen... Tomen el chip —dijo Mili sacando el trocito de piel del papel, para luego pasarlo por las rejas.

El Capitán García fue el primero en ponérselo y pasar. Por último lo hice yo ante la advertencia de Sinbra, por el uso reiterado. Si la IA fuera consciente, pensaría que estaba ebrio, pasando de un lado al otro del detector, cosa que me llevaría a prisión por varias semanas, debido al hecho de que está prohibido circular en la vía pública con alcohol en sangre: la tolerancia es cero. Lo mismo sucede si fumas o andas con prendas de las llamadas agresivas, las cuales poseen inscripciones o dibujos contra el gobierno o discriminen. Lo de la discriminación me parece bien, pero no poder opinar del gobierno si hacen las cosas mal, me parece nefasto. Solo sus focas aplaudidoras son permitidas en los festejos patrios, en dónde agrupan a mucha gente. Desde que las leyes de ética ciudadana y comportamiento se volvieron universales: es decir, que todos los países deben controlar de la misma forma a los ciudadanos y prohibirles sus libertades, el mundo se volvió esclavo de las castas políticas.

—¿Qué haremos ahora? No podemos andar por las calles con todos esos drones vigilando —dijo Mili ocultándose debajo de un toldo.

Nos pusimos junto a ella. Aquél toldo pertenecía a una tienda de ropas. En esa calle frente a la estación, se ubicaban varias tiendas comerciales: tiendas de calzados, ropa inteligente, piezas biónicas, comestibles y hasta una florería. El perfume a jazmín natural invadía la calle. Los taxis autónomos circulaban a la espera de un cliente, y los drones estaban cada vez más cerca.

—Miren lo que hay detrás de nosotros —dijo el Capitán García, colocando sus manos junto al vidrio, en forma de visera—. Con eso... Los drones no podrán reconocernos.

Mili y yo volteamos. Se trataba de una tienda de ropa. Nos acercamos al escaparate en dónde había suéteres, pantalones de algodón y chubasqueros.

—Un cambio de ropa vendría bien —dijo Mili mirándonos—. Sobre todo a ustedes dos... Apestan a cabra de monte.

—Yo huelo a pescado —dije codeando a Mili.

Ella sonrió y me dedicó un saludo con su dedo del medio, para luego regalarme un tierno beso.

—Nos pondremos esos chubasqueros —explicó el Capitán García mientras señalaba las prendas que lucían en unos maniquíes.

—Yo no tengo dinero —dijo Mili chequeando su *SkinTouch*.

El Capitán negó con la cabeza, al tiempo que revisaba los bordes del escaparate.

—Aunque tuviéramos el dinero, no podemos utilizar los chips biométricos: estoy seguro de que nos rastrean. Si utilizamos otra vez los chips, nos encontrarán —dijo el Capitán García.

—¿Entonces que sugieres? —dije, sin embargo, sabía la respuesta al verlo golpear el vidrio, como queriendo comprobar de que material estaba hecho.

—Este escaparate es de vidrio templado. La tienda esta cerrada, lo que romper el vidrio significaría que se activen las alarmas. Debemos romperlo, tomar las prendas y salir corriendo como si viéramos a nuestra suegra venir —el Capitán García soltó una carcajada sísmica.

—Menos mal que no tengo suegra... Va... Eso creo. ¿Tú que dices Maverick? —preguntó Mili entornando los ojos.

Su pregunta me tomó por sorpresa. Pero supongo que si nos besamos dos veces, eso nos convierte en pareja, o eso espero.

—Mi madre definitivamente te haría correr. No es muy dulce. De hecho no es dulce ni conmigo —dije apenado.

—¡Genial! Ya quiero conocerla —dijo Mili

llevándose una mano a la cara.

—Bueno, es ahora o nunca. Tomaré esa baldosa suelta y romperé el vidrio. La alarma comenzará a chillar lo que nos dejará poco tiempo para actuar. Los patrulleros llegarán en menos de veinte minutos. Los drones tal vez en cinco —explicó el Capitán—. Yo rompo y ustedes entran.

Mili asintió con la cabeza. Yo no estaba del todo convencido, aquél acto iba en contra de Dios: *no robarás* decía. En ese momento caí en la cuenta de que la sociedad me estaba reduciendo a la peor clase de calaña: un vil ladrón. Si no me arrinconaran con ese maldito chip biométrico, si no hubiesen digitalizado todo el dinero y si no me quitaban mi empleo para reemplazarme por una IA, todo sería diferente. Estaría con mi aburrida vida en Argentina, pagando mis impuestos sin joder a nadie.

Lo más triste es que había arrastrado a Mili. El estruendo de cristales rotos, me sacó de aquel pensamiento. Con mi pecho sacudiéndose por los latidos acelerados de mi corazón, y un nudo en la garganta, entré por el escaparate. Al rozar un trozo de ventana, me arañé el antebrazo izquierdo, sin embargo, no me detuve. Cogí dos chubasqueros, tirando en el arrebato a los maniquíes y salí corriendo.

—Ten Capitán, este parece de tu tamaño —dije entregándole uno.

Mili ya se había colocado el suyo a la carrera. La capucha nos cubría el rostro, aunque en un día que se veía venir espléndido, llamaríamos la

126

atención.

—¿Qué hacemos ahora? —dijo Mili mientras corría.

—Vamos al callejón. Vengan detrás de mí —dijo el Capitán García.

Corrimos hasta un callejón que se abría entre dos edificios de apartamentos. Al salir del otro lado, a lo lejos se veían una decena de bloques de viviendas . El Capitán se detuvo frente a una casa deteriorada.

El viejo chalet marrón, tenía la mitad del techo sin tejas y las malas hierbas cubrían todo el frente. En medio había un camino despejado de hiervas, que llevaba a la entrada de la casa. El Capitán García, extrajo de su bolsillo un silbato negro que emitía un sonido particular. Era una especie de chirrido aguado.

—¿Qué hacemos aquí? —dije mirando al rededor.

De la casa salieron dos hombres de piel oscura y una mujer con rasgos asiáticos. Los tres estaban fuertemente armados con ametralladoras de plasma y pistolas de pulsos electromagnéticos.

—¿Cuántos son? —dijo la asiática.

—Los que ves aquí... Tenemos prisa —indicó el Capitán García.

—Pasen, los prepararemos —dijo la asiática, mostrando con su mano abierta la entrada de la casa abandonada.

—Esto no me gusta nada —me susurró Mili al oído.

A mí tampoco me agradaba esta situación, sin embargo, era mejor a terminar en una granja, o al menos eso esperaba. Al ingresar a la casa, nos colocaron capuchas que se ajustaban en el cuello. Era imposible ver algo. También noté que no podía escuchar nada. ¿A dónde nos conducía el Capitán García? Me preguntaba mientras sentía como si bajara de golpe. Era como si una plataforma descendiera bajo mis pies, podía sentir las vibraciones metálicas, el desplazamiento brusco a la derecha, luego a la izquierda, como si fuéramos esquivando obstáculos o tomando diferentes caminos.

Después de mucho tiempo de pie, no podría decir con certeza cuánto, quizás una hora o más; realmente no lo sé. Bajamos de la plataforma y nos quitaron las capuchas. La luz blanca de una lámpara me hizo voltear la cabeza hacia la derecha. Abajo, un montón de personas se veían ir y venir entre las tiendas, mientras el aroma del pollo asado y el bullicio subían hasta nosotros. Avanzamos escoltados por los guardias hasta la escalinata que daba paso a los comercios.

—¡Esto es increíble! —dijo Mili mirando al rededor.

Una tienda de jugos naturales de fruta nos atraía con su dulce aroma. Más adelante, un carro vendía perros calientes con chiles. El hombre que lo atendía tenía acento mexicano, y su delantal blanco cubierto de manchas no podía ocultar su tremenda barriga.

El suelo era de concreto, y el techo mostraba vigas del mismo material, lo que me hizo suponer que nos encontrábamos en el subsuelo de algún edificio, tal vez una vieja cochera. Tengo que aclarar que, de ser una cochera, el edificio debía ser inmenso, ya que el tamaño del mercado era impresionante.

—¿Ahora entienden por qué se mantiene en secreto la ubicación de este Mercado Negro? —Preguntó el Capitán.

Asentimos con la cabeza. Era imposible que alguien diera a conocer la ubicación del Mercado Negro, si todo el tiempo estabas con la cabeza cubierta, sin ver ni oír. Supongo que el regreso era igual. A los laterales, se podían ver más pasarelas de ingreso y egreso, con gente entrando y marchándose.

Frente a una carpa verde, custodiada por cinco hombres, estaba Maicol, sosteniendo los bultos con el cargamento de chips biométricos del Capitán García.

—Maicol, que bueno que hayas llegado sin problemas. ¿El comprador ya está aquí? —preguntó el Capitán.

—Claro, llegó hace unos minutos. Te espera en el bar.

—Estupendo, mi lugar favorito. Vamos, amigos, cerraré el trato y luego los ayudaré a llegar hasta la casa de tus padres —dijo poniendo su enorme mano sobre mi hombro.

El bar Corsarios, se situaba en el centro del mercado, una enorme carpa negra con una barra circular en medio, donde se servían las bebidas que atraían a muchas personas. Alrededor de la barra, mesas circulares de madera con sus sillas sostenían a los borrachos, quienes conversaban animadamente mientras disfrutaban de sus bebidas. Las risas y el humo de los cigarros llenaban el aire, creando una atmósfera densa y llena de vida. Algunos músicos improvisaban una canción en una esquina, agregando su talento al ambiente festivo del bar Corsarios. Era un lugar en el que los secretos y negocios clandestinos se mezclaban con la diversión y la euforia de quienes lo frecuentaban.

—No me gusta este lugar. Podemos ir a dar un paseo hasta que termine, Capitán —dijo Mili arrugando la nariz.

—Yo opino lo mismo. Nos vemos aquí en media hora —dije mirando mi reloj: marcaba las cinco de la mañana.

—Como gusten, yo no soy tan delicado. Vayan, vayan.

Mili y yo nos fuimos esquivando mesas hasta llegar a la salida del bar. Afuera, nos encontramos con un mundo de risas frente a un negocio que vendía artículos a batería: radios antiguas, linternas, faroles e incluso un televisor que mostraba un programa humorístico. Un payaso hacía magia en la pantalla chica, haciendo reír a todos los espectadores. De pronto, la transmisión cambió. Ahora, un titular decía: "Último momento: la policía está buscando a los asesinos de una pequeña niña de seis años que viajaba en el tren que realizó el recorrido de Palma de Mallorca a Madrid Atocha a las veintidós y treinta horas."

—Ese era nuestro tren —susurró Mili.

En la imagen se veía una fotografía de la niña que apareció asesinada: era la pequeña de vestido azul y moño osito de peluche que rescatamos de los androides.

—Es la niña... Ella vio a los androides de tecnología avanzada... —balbuceaba Mili.

Entendía lo que quería decir: los androides nos dejaron en claro que su existencia era confidencial y que no podíamos salir de allí con vida. De alguna manera se reactivaron y acabaron con la niña que fue testigo de su existencia. «Ahora vendrán a por nosotros», me dije.

—Creo que nos metimos en un lío gigantesco —susurré.

En la televisión explicaron que: según los testigos, la niña viajaba con su madre y que, en un descuido, se alejó de su vista. Hay personas que afirman que la vieron hablando con una mujer y dos hombres, sin embargo, no hay fotografías ni vídeos de ellos. Según los forenses, la pequeña tenía el cuello roto, lo que indica que fue estrangulada con mucha fuerza. Otros testigos afirman que dos policías estaban tras la pista de un hombre y una mujer que creen eran los mismos que vieron con la pequeña. La policía por su parte, negó que estuvieran buscando a alguien.

—Nos culparán de la muerte de esa niña, Maverick. ¿Qué haremos? No duraremos ni dos días en la granja si nos acusan de infanticidas —Mili sollozaba.

—Nos ocultaremos en casa de mis padres. Ya pensaremos en algo —dije, poco convencido.

—Resulta extraño que la policía declarara que no estaba al tanto de ninguna búsqueda de sospechosos. Me pregunto, ¿quién le ordenó a los robots humanoides que nos encuentren? —dijo Mili, llevándose la mano derecha al mentón.

—Deberíamos investigar lo que dijo ese robot avanzado: ¿Qué es la superinteligencia *ASI*? ¿Quién trabaja en ella? Y ¿Cómo sabe de nosotros? —dije—. Después de todo, miles de personas se van de sus países de forma ilegal, y nunca oí que los cazaran.

Las dudas se acumulaban mientras el misterio se tornaba más denso. —Es todo muy raro. Deberíamos hacerle recordar al Capitán García que te consiga uno de esos chips biométricos hackeados —dijo Mili rascándose la frente—. Yo no creo que pueda utilizar el mío por un tiempo, o tal vez nunca más.

El gesto de tristeza que pude ver en su rostro me partió el corazón. No podía ni imaginar lo que estaría pensando. Mi deseo era hacerla feliz.

A unos metros pude ver y sentir el aroma a pollo asado que despedía una parrilla; se llamaba "Parripollo Hernesto". Aún tenía el chip biométrico del Capitán García en el bolsillo.

—Ven Mili, te invito a comer —dije, pegando el chip en mi frente—. O mejor dicho: el Capitán invita.

Mili hizo un gesto malicioso refregando sus manos y nos fuimos al Parripollo. La gente se agolpaba cerca de la parrilla esperando sus pedidos. Allí, debajo del mundo moderno, ese local tenía la fama de un McDonald's en la superficie.

Compramos sin problemas dos piezas de pollo asado, no sin antes aclarar que el chip que tenía no era posible de rastrear. Sin duda, conocían del tema y de inmediato todo se aclaró.

—Veo que no pierden el tiempo. También veo que tienen mi chip biométrico —dijo el Capitán, parado detrás nuestro, cruzado de brazos—. Aunque todo queda entre amigos, si me dan un trozo de pollo. Muero de hambre.

Mientras comíamos, el Capitán García nos contó que su negocio, como de costumbre, había salido bien. Su contacto le entregó otro chip biométrico con el saldo acordado, y como un gesto de amistad, me obsequió su antiguo chip. Con los nervios alborotados, emprendimos la marcha en un Automataxi hacia la casa de mis padres. El Capitán García nos acompañaría y luego seguiría su rumbo en busca de su amado Flecha Azul, que según le informó Guzmán, estaba amarrado en el puerto de Barcelona.

Por fin, después de casi una hora, llegamos a casa de mis padres. Nos despedimos del Capitán García, que siguió su viaje a Barcelona. A Mili se la notaba nerviosa y yo lo estaba aún más. Mi madre no era fácil de tratar. Me preguntaba: ¿Cómo reaccionaría ante la idea de convivir con otra mujer en su casa? Y más sabiendo que Mili era su nuera.

11

La casa seguía tal cual la recordaba. Era una casa de dos plantas, con sus paredes blancas y ventanas con marcos de madera caoba. Al acercarnos, pude ver claramente las dos ventanas en la parte superior y una en la parte inferior, junto a una pesada puerta de algarrobo. Sin embargo, lo que antes era un extenso césped frente a la casa, ahora estaba completamente cubierto de cemento. Mi madre siempre había odiado el fango y las hormigas, así que decidió eliminar cualquier rastro de vegetación en el patio. Aun podía recordar los golpes que me daba en aquel patio duro y áspero, dejándome las rodillas en carne viva cada vez que caía.

—Estás lista para conocer a mi familia —dije y dejé escapar un suspiro profundo, que nació de mi alma.

—Claro, el que le tema a la muerte que no nazca —dijo sonriendo.

Podía ver su nerviosismo camuflado. La tomé de la mano y toqué el timbre. «Creo que sería bueno haber llamado antes, pensé». La puerta se abrió y una mujer de cabello colorado, vestida con unos clásicos jeans azules y una camisa blanca de poliéster, me miraba de arriba abajo sin decir una palabra. Se mantuvo así por unos segundos, para luego correr a mis brazos. Las lágrimas bañaron su cara. Después de apretarme contra ella, se alejó y me dio una bofetada.

El golpe me tomó por sorpresa, y una oleada de confusión me invadió. Mili se acercó a mí, preocupada.

—¿Te costaba tanto llamarme de vez en cuando? Hace como dos años que no sé nada de ti... —dijo, y de repente, se detuvo en silencio.

Clavó su mirada en Milagros y la escaneó de arriba abajo. Su mirada fría y calculadora me recordaba a los tiempos en la preparatoria, cuando traía amigos a la casa y los escrutaba en busca de señales que le indicaran que eran drogadictos o alcohólicos, lo que hacía que ninguno de mis compañeros quisiera venir a la casa otra vez.

—Ya entiendo por qué te olvidaste de que tienes madre... —dijo sin dejar de mirar a Mili.

Milagros sonreía incómoda, como cuando no sabes qué hacer y deseas que te trague la tierra.

—Mamá, te presento a Milagros Hop —dije—. Milagros, ella es Beatríz Simons, mi madre.

—Mucho gusto, señora Simons. Su hijo me habló mucho de usted —dijo colorada como un semáforo.

—Espero que bien. Me rompí la espalda criándolo, para que ni siquiera se acuerde de escribirme un mensaje —dijo mirándome molesta—. ¿Ya duermen juntos? Solo faltaría que estuvieras embarazada y no me lo hubiese contado.

Sin dudas no había cambiado nada. Seguía siendo la misma mujer ácida, que te calaba hasta los huesos desde el primer momento.

—No... Nosotros no dormimos juntos... —balbuceó Mili.

—... Mamá, vamos adentro. Los vecinos se están haciendo el plato con nosotros —interrumpí.

Mamá se dio la vuelta bufando. Papá venía saliendo de la casa lo más rápido que su rodilla maltrecha se lo permitía. Años de trabajo en la granja ganadera local le pasaban factura. Era un hombre robusto, estaba vestido con unos shorts negros y una musculosa blanca, que dejaban ver los cabellos canos en las axilas. Su cabeza reflejaba el sol y usaba gafas gruesas.

—Vamos adentro, tómate dos horas para salir... a ver —dijo mamá, ante la mirada perpleja de mi padre, que reculó cómo pudo hasta perderse dentro de la casa.

El interior de la casa había cambiado mucho desde la última vez que estuve aquí: hace unos quince años. Me fui a los veinticinco años de edad, con una mochila cargada de sueños jóvenes, rumbo a Argentina. Creía que no volvería a casa de mis padres nunca más, sin embargo, aquí estoy contemplando la sala de estar de mi madre. No es que no quiera a mis padres, pero el hecho es que siempre fueron muy competitivos conmigo, e incluso se podría decir que en vez de ayudarme, muchas veces sacaron provecho de mis problemas.

Recuerdo el día en que fui a mi primera

entrevista laboral. Aquel día conseguí el empleo como traductor de documentos del español al inglés, para una oficina jurídica. Estaba tan feliz que lo primero que hice fue llamar por teléfono a mamá: me atendió con un tono frío y no podía notar que se alegraba por mí. Supuse que era solo idea mía, pero todo cambió cuando, como le ocurría algunas veces, se olvidó de colgar el teléfono. Oí a mi padre preguntarle a mi madre: —¿Con quién hablas? Ella le respondió: —Con el gilipollas de Maverick. Llamó para decirme que consiguió empleo. Colgué el teléfono y desde ese momento, nunca más volví a llamarla para contarle lo que me ocurría.

Esa situación se quedó grabada en mi mente, y aunque intenté convencerme de que sus palabras no importaban, no pude evitar sentirme herido y decepcionado. Fue como si todo mi logro y mi felicidad fueran minimizados a una simple burla. Me pregunté si siempre había sido así, si mis éxitos nunca habían sido suficientes para ella.

A partir de entonces, decidí mantener mis logros y alegrías para mí mismo. No quería arriesgarme a sentirme menospreciado nuevamente por alguien que debería apoyarme incondicionalmente. A medida que mi carrera avanzaba y tenía más logros que compartir, resistí la tentación de contarle a mi madre cualquier noticia emocionante.

Con el tiempo, me di cuenta de que, aunque su actitud doliera, no podía dejar que eso definiera mi valía o mis éxitos. Aprendí a valorarme por mí mismo y a encontrar el apoyo y la validación en otras personas cercanas a mí que realmente se alegraban por mis logros.

Aunque haya decidido no compartir mis éxitos con mi madre, eso no significa que haya olvidado el amor que siento por ella. Acepto que las relaciones familiares pueden ser complicadas y que todos tenemos nuestras imperfecciones. Pero también aprendí que, a veces, es necesario establecer límites para proteger nuestra propia felicidad y bienestar emocional.

Quizás, algún día, encuentre el valor para hablar con ella sobre cómo me hizo sentir aquella vez. Tal vez eso nos ayude a tener una relación más honesta y significativa. Pero hasta entonces, me enfocaré en seguir adelante y construir una vida en la que mis logros y felicidad no estén condicionados por las opiniones de los demás, incluso si se trata de mi propia madre.

Mi padre siempre odió su vida, su empleo, y creo que por eso competía conmigo. Era un hombre que se había alejado de su familia de muy joven, no terminó la primaria y era terco como una mula, sin dejar de lado que era alcohólico y, cuando se le daba la gana, nos daba una zurra a mi madre y a mí. Cuando hablaba con él, podía ver en su rostro que le molestaban mis logros y jamás estuvo en los momentos felices de mi vida: nunca asistió a una graduación, ni me festejó un cumpleaños. No dudo que me quisieran, solo digo que me querían ver bien, pero no mejor que ellos.

Me senté en el sillón de cuero negro de tres cuerpos, junto a Mili. En la pared frente a mí, había un Holovisor —uno de esos que te muestran las imágenes en 3D y son capaces de liberar las fragancias y olores de lo que ves en la pantalla—. Estaban pasando un programa de cocina donde trabajaban con chocolate negro. El aroma que despedía el Holovisor era exquisito.

—Que extraño es verte otra vez, Maverick. Creí que no volverías más... O al menos es lo que dijiste el día que te fuiste a Argentina —dijo mi padre, sentándose en el sillón individual.

—A veces la vida no es como la imaginamos y toca volver al principio —dije—. Ella es Milagros Hop. Mili, él es mi padre, Felipe Hernández.

—Encantada, Señor Hernández.

Mi padre sonrió y me miró con un gesto libidinoso.

—¿Son pareja?

No estaba muy seguro de qué contestar, supongo que sí éramos pareja, ¿o no? Estaba por responder cuando Mili se anticipó.

—Sí, es algo reciente —dijo, mirándome dubitativa, tal vez pensando si yo hubiera contestado lo mismo.

—Espero poder hacer que dure —dije, guiñándole un ojo.

Un olor a pólvora inundó la casa. De un salto, Mili y yo salimos despedidos del sillón. «Nos encontró la policía —me dije». Antes de que saliéramos corriendo a ocultarnos en el sótano, mamá pasó frente a nosotros con el ceño fruncido.

—Otra vez ese maldito olor a pólvora. Volví a olvidar desconectar el sistema de aromas del Holovisor —dijo, presionando un interruptor al costado de la pantalla—. Esas manifestaciones en contra de los robots que nos quitan el empleo a los humanos son cada vez más violentas.

—Según el informe que dieron la semana pasada en el canal de noticias, mil millones de personas son necesarias para sustentar a diez mil millones. Los humanos solo se necesitan para mantener en funcionamiento a las máquinas y dentro de poco eso tampoco será necesario. Los robots son cada vez más humanos —dijo mi padre—. Las máquinas reemplazarán a las personas en el planeta.

En las imágenes, se veían a los manifestantes enfrentándose a los robots policías, que a patadas y garrotazos los arrastraban por el suelo. Eran imágenes tremendas. Mamá, apagó el Holovisor, acercó una silla y se sentó frente a mí, junto a mi padre.

—¿Cuánto tiempo te quedarás con nosotros? —dijo mamá.

—Pensaba quedarme con ustedes hasta que nos acomodemos en algún departamento aquí en Madrid. Milagros es guía turística y yo soy traductor, tal vez pueda conseguir trabajo...

—... Esas especialidades ya no sirven. Los robots se ocupan del turismo y son excelentes traductores de idiomas. No creo que puedan trabajar de eso aquí. Milagros tal vez consiga empleo como asistente geriátrico: muchas familias prefieren a una persona de carne y hueso para atender a sus familiares —dijo mamá con toda la franqueza que la caracteriza—. Y para ti, Maverick, que no tienes el chip biométrico instalado, no hay muchas posibilidades.

—¿Ustedes se implantaron el chip? —dije al ver la tenue luz roja en la frente de mi madre—. ¿Ya no tienen fe?

Mamá se rascó la frente y bajó la mirada.

—Cuando España se volcó a la tecnología en todos sus aspectos, nos vimos forzados a ponernos el chip: los vecinos nos veían mal cada vez que no nos dejaban entrar a los restaurantes, a los mercados de alimentos, a las farmacias. Éramos los bichos raros —dijo limpiándose los ojos que comenzaban a humedecerse—. Fue muy duro; nos doblegaron.

—Tranquila, mamá, yo también siento a veces la necesidad de ponerme ese chip y seguir a la manada. Nos arrinconarán constantemente.

—Siempre fuiste un chico terco —dijo papá—. Sabíamos que no te dejarías amedrentar en tus convicciones religiosas. Dios siempre fue importante para ti.

—En estos últimos días me desvié del camino. Hice cosas que no son de su agrado y me llevaron a replantear la idea del chip.

—Mantente firme, hijo, no te rindas como lo hicimos nosotros. Aquí tienes un lugar en donde quedarte. Ya veremos cómo nos arreglamos con el espacio.

—Gracias. En mi viejo cuarto nos acomodaremos, por ahora —dije con un nudo en la garganta.

Odiaba esta situación, odiaba al gobierno y, sobre todo, a este nuevo mundo donde las personas eran cada vez más obsoletas. Me encerré en el baño, no quería que Mili me viera llorar. Frente al espejo, contemplaba aquel rostro acabado, con ojeras y cada vez más avejentado. Me puse a pensar en Mili. Yo estaba con mi familia después de todo, ¿pero ella? En otro país, con una carrera que es lo mismo que nada y en una casa con gente que no conoce... Y todo por mí. Mañana saldré a buscar empleo, como siempre dije y lo sostengo: para el que quiere trabajar, siempre hay algo.

Después de cenar en familia —un pollo cultivado en laboratorio al horno con papas fritas que Mili preparó para todos—, decidí ir a descansar. Al fin y al cabo, mañana sería un día difícil. El pollo de laboratorio nunca me cayó bien; me daban muchos gases, cosa que no me sucedía con los pollos de granja normales. Supongo que al crear un animal desde una célula, los nutrientes necesarios no deben ser los mismos que utiliza el creador. Tal vez eso explique la gran cantidad de enfermos de cáncer que han aparecido desde el dos mil cuarenta hasta la fecha.

Mientras Milagros se dedicaba a lavar las vajillas junto a mi mamá, yo me puse manos a la obra en la habitación con la intención de generar un clima agradable y cómodo para Mili. La cabeza me explotaba con solo imaginarme a Mili acostada desnuda a mi lado. La habitación estaba tal cual la había dejado hacía quince años: una cama de dos plazas con la colcha de tigre blanco, el armario con una puerta faltante y el escritorio de pino donde hacía los deberes de la escuela. En la pared frente a la cama colgaba mi viejo televisor OLED. Me acerqué la manta a la cara, que para mi sorpresa olía bien; mamá siempre fue una maniática de la limpieza.

Me puse unos shorts del *Real Madrid* y una musculosa blanca, luego me recosté en la cama. Cuando el sueño me estaba venciendo, un golpe en la puerta me despertó.

—¿Se puede? Soy Milagros.

Me puse de pie de un salto y me dirigí a la puerta.

—¡Claro! Este es tu cuarto también —dije sonriendo.

Ella me miró de abajo arriba y entró a la habitación, caminando y observando todo a su alrededor.

—Bonita habitación. Creo que estaremos cómodos —dijo sentándose en la cama—. No tengo camisón. En casa duermo desnuda...

El corazón me latía a mil por hora y para colmo comencé a sentir una fuerte erección. Los shorts del Real Madrid no dejaban nada a la imaginación. Mili se puso de pie, se acercó sin dejar

144

de verme la entrepierna y, tomándome de la cara, me besó con pasión. Yo me acerqué a su cuello muy despacio, deseando besar cada centímetro de su piel. Su aroma me embriagaba, llevándome hasta el punto más elevado de excitación. Bajé lentamente, recorriendo su cuello con mis labios hasta llegar al punto donde nacían sus senos. Ella deslizó las tiras de su vestido hasta que este cayó al suelo, dejando al descubierto todo su cuerpo. Con desesperación, me tiró a la cama y me arrancó los shorts. Sus cálidos labios recorrieron mi estómago, bajando cada vez más, conduciéndome al más alto placer. Acaricié su rostro y la conduje sobre mí hasta que nuestros cuerpos se unieron en un abrazo sudoroso, con los pechos agitados.

12

Miré mi *Smartwatch*, eran las nueve de la mañana. Milagros me acompañó a buscar empleo, tal vez uno de los dos tenga suerte, o quién sabe, quizás los dos. Las calles no eran muy diferentes de las de Buenos Aires: solo se veían vehículos eléctricos autómatas, camiones, taxis y transportes públicos. Recuerdo cuando mi padre tenía su Chevrolet Corsa rojo, el vecino tenía una gran camioneta negra, no recuerdo qué marca era. El hecho es que ahora nadie tiene su propio vehículo. Todos deben utilizar el transporte público o alquilar un Automataxi.

En España se ven más espacios verdes, sin embargo, aquí no se puede entrar a las plazas, por ejemplo, ya que están valladas y en su interior se pueden ver árboles frutales y un huerto. A donde mire, hay controladores de chips biométricos, drones surcando el cielo y en cada poste una cámara con micrófonos y altavoces.

—¿Qué te sucede, Maverick? Te veo nervioso —dijo Mili.

Era verdad, no solo estaba nervioso. Estaba aterrado: si en el tren había policías buscándonos, seguro controlarían las cámaras y los drones de reconocimiento facial aquí también.

—Me preocupa la policía. ¿Recuerdas lo que

sucedió en el tren con esos policías androides que nos buscaban? —dije mirando alrededor.

Mili bajó la mirada mientras caminaba en silencio. Luego de unos segundos, me volvió a mirar.

—No creo que la policía nos esté buscando. Si no lo olvidaste, en la televisión negaron estar buscando sospechosos, y las personas que nos vieron con la niña no pudieron describirnos con precisión. Creo que detrás hay algo mayor. Esos androides casi humanos no pertenecen a la policía...

—...¡Claro! Ellos mismos confesaron que eran un proyecto secreto. Ahora que lo pienso, eso me da más miedo: tratarán de matarnos, como ya lo intentaron hacer.

—Mejor no pensemos en eso. Concentremos nuestra atención en conseguir empleo.

—Tienes razón, probemos en esa agencia de empleo —dije, señalando un local donde una gran fila de personas aguardaba ser atendida.

—Hay mucha gente desocupada —indicó Mili, bajando la mirada—. La mayoría son jóvenes. La inteligencia artificial está arruinando la vida de los trabajadores humanos.

—Si no me lo cuentas, no lo creo. Con lo bien que nos va a nosotros —dije sonriendo.

—El sarcasmo no te queda —dijo frunciendo el ceño.

Nos ubicamos al final de la fila, a unos mil metros de la entrada de la agencia de empleos. Mientras esperábamos, en una gran torre frente a nosotros había una monumental pantalla perteneciente a la corporación responsable de la creación de la IA, *SintecBrain*. En la pantalla se mostraban avances y publicidad sobre las actualizaciones de Sinbra.

—Es increíble que ya no se necesiten médicos humanos, la IA lo puede hacer todo sola. ¿Viste eso, Mili? Las cápsulas médicas ahora son operadas por Sinbra.

—Es una locura —solo atinó a decir Mili.

Después de siete horas, nos tocó nuestro turno. La agencia estaba por cerrar. Entramos a la oficina, donde una pantalla que estaba sobre un mostrador se volteó hacia nosotros. La pantalla mostraba el rostro de una mujer joven, de no más de veinte años. Traía aretes dorados y una boina, como las que usaban las azafatas en los aviones.

—Buenas tardes, ¿en qué los puedo ayudar? —dijo la secretaria virtual.

—Un kilo de pan, por favor —dije.

Milagros me miró sorprendida, sin embargo, no dijo nada.

—Disculpe, señor, esta es una agencia de empleos, no una panadería.

—Entonces estoy buscando empleo —dije sonriendo.

Mili me golpeó sutilmente el brazo.

—Los dos estamos buscando empleo —dijo ella.

—¿Cuál es su especialidad, oficio,

148

conocimientos o preferencia de búsqueda? —preguntó la secretaria virtual.

—Bueno, yo soy Guía de Turismo —dijo Mili.

Después de unos segundos, la secretaria virtual dijo:

—Lo siento, no hay empleos para personas con esa profesión. Ahora esa actividad la realizan las IA. Lo siento, ¿tiene otro conocimiento?

—No, estudié solo esa profesión. Pero podría hacer cualquier otra cosa —dijo Mili apresurada.

—Lo siento, no tengo ningún trabajo por el momento para usted —dijo la secretaria y luego volteó hacia mí—. ¿Usted qué sabe hacer?

Estaba seguro de que no habría empleo para mí. Desganado, le respondí.

—Soy corrector de estilo y traductor de inglés.

—Lo siento, esos trabajos los realizan las IA. ¿Tiene otro conocimiento?

Ya estaba cabreado. Tenía ganas de partir en dos esa pantalla que roba empleos.

—Sí, soy dentista —dije molesto.

—Lo siento, según la nueva ley, la medicina será practicada por las cápsulas médicas —dijo y agregó—. Es hora de cerrar. Vuelvan mañana, tal vez tengan suerte. No se desanimen, el sol brilla para todos. Hasta luego.

Salimos de la agencia con el ánimo por el suelo. "Vuelvan mañana", dijo. ¿Para qué? Era obvio que ya éramos obsoletos. Volvíamos en silencio, un silencio incómodo. De pronto, cuando estábamos a dos cuadras de la casa, Mili me tomó del hombro.

—Mira ese cartel, Maverick —dijo Mili.

Seguí su mirada hasta un comercio de electrodomésticos que tenía un cartel manuscrito en su escaparate que decía: "Se necesita empleado". El comerciante lo estaba terminando de pegar. Cruzamos la calle esquivando un Automataxi y nos detuvimos frente al comerciante, quien estaba por entrar al local.

—Buenas tardes, señor. Veo que necesita empleado —dije.

—Sí, bueno... Es por hoy nada más: el robot de carga se averió, y no tengo cómo entrar las cajas de electrodomésticos al depósito —dijo mostrando el interior de la tienda, donde se veían bultos embalados.

Eran bultos enormes, tal vez refrigeradores o algún tipo de cocina. Creo que esta noche no habrá salto del tigre.

—El sensor de la puerta marca que no tienes chip biométrico —dijo el tendero—. Sin chip no puedo pagarte, las transferencias de dinero solo son virtuales de chip a chip.

Me había olvidado de colocarme el chip que llevaba en el bolsillo. Ya era demasiado tarde para hacerlo, no quería que aquel sujeto supiera que traía uno ilegal.

—No hay problema, transfiera el dinero a mi chip —explicó Milagros.

—Está bien para mí —dijo el tendero.

—Muy bien, todo arreglado. Manos a la obra —dije.

Después de tres horas, por fin había llevado hasta el depósito el último de los bultos. Como lo supuse, se trataban de refrigeradores. La espalda me quedó hecha polvo y no veía la hora de llegar a casa y tirarme a la cama. El tendero realizó el pago al chip de Mili: cuatrocientos euros, con ese dinero podríamos sobrevivir unos tres meses.

Al llegar a casa, vi a mis padres sentados en dos sillas de camping sobre la vereda. Sabía que estarían cotilleando por lo bajo. Mili apretó su mano sobre la mía; seguramente había sacado las mismas conclusiones sobre la charla de mis padres que yo.

—Chicos, se les ve fatal. ¿Consiguieron empleo? —dijo mamá.

Negué con la cabeza. No tenía ganas ni de hablar.

—No, señora. Maverick encontró una changa, o chapuza, como le llaman aquí. Lo dejó hecho polvo —dijo Mili.

—Peor es nada. Ya encontrarán algo —dijo mi padre.

Entramos a la casa, Mili ingresó primero y yo apenas podía arrastrar las piernas detrás de ella. Antes de pasar el umbral, oí a mi madre decir por lo bajo:

—Y con lo caro que está la vida, como para mantener a una extraña.

Bajé la mirada y entré a la casa.

Después de bañarme con agua fría —el termo estaba apagado; mamá siempre fue estricta con el uso del gas o la electricidad y a las seis de la tarde se apaga—, aún se me pone la piel de gallina al recordar las veces que me bañé con agua fría en invierno. Luego fui a la cocina, donde Mili estaba preparándome algo de comer. Estaba tan concentrada preparando unos huevos con biotocino, que no se percató de mi presencia. Me senté a la mesa y no podía creer que aquella hermosa mujer estuviera con un hombre como yo. Me hacía sentir una felicidad tan grande que no me imaginaba que pudiera existir. De pronto, volteó y me dedicó una dulce sonrisa.

—¡Hay... amor! No sabía que estabas allí. Espero que te gusten los huevos con biotocino.

—Si los preparas tú, seguro que me encantan.

Mamá entró a la cocina y se acercó a la estufa con la cara arrugada.

—¡Ay, nena! ¿Qué es eso? El tocino se te ha quemado. A mi niño le gusta en omelette. ¿Te acuerdas, Maverick? Te encantaban mis huevos con tocino.

—Sí, me encantaban, mamá. Sin embargo, Milagros sabe de cocina lo mismo que yo, y lo importante es el gesto de cocinar para otra persona.

Empoderada, Mili me dedicó una mirada tierna y siguió cocinando.

—Mujeres preparadas para atender a un

hombre: eran las de antes. Ahora solo se maquillan o trabajan todo el día, descuidando a su pareja —dijo mamá.

Milagros volteó con esa expresión en su rostro que decía: cuidado.

—También las mujeres de antes eran buenas para soportar palizas cuando a su marido se le antojaba dárselas. No podían opinar en su propia casa y eran mucamas esclavizadas —dijo Mili.

Mamá volteó a verme, tal vez pensando que yo le conté a Milagros alguna cuestión de mi infancia.

—Mira... niña... Las mujeres de tu generación no valoran a la familia y a la iglesia como las mujeres de mi generación: la familia se protegía ante todo. Ahora, las mujeres tienen hijos y se los dejan a sus abuelos para que los críen ante la primera dificultad —dijo mi madre mientras me servía un vaso de limonada.

—Las cosas cambiaron, las mujeres somos empoderadas y si la cosa no funciona con nuestras parejas, simplemente nos alejamos. Una relación tóxica solo deja a los niños con traumas, con infancias destruidas —dijo Mili señalando su sien con el cucharón—. Antes, los hombres le daban un garrotazo en la cabeza a sus mujeres y las arrastraban del cabello a la cueva. Las cosas cambian, lento, pero cambian.

Tan concentrada estaba mamá en su discusión, que no se percató de que el vaso de limonada comenzaba a derramarse.

—¡Cuidado, mamá! —dije, sorprendiéndola.

Ella dejó la jarra sobre la mesa y se marchó de la cocina bufando.

Mili volteó a verme, ya con el plato servido.

—Perdona, Maverick... Es que tu madre me saca de quicio.

Dejó el plato frente a mí y se fue cabizbaja a la habitación. Supongo que estaba replanteándose si podría seguir viviendo bajo el mismo techo que mi madre. Me dolía haberla arrastrado a esta situación. "Debe quererme mucho para soportar todo esto", pensé.

Terminé de comer, lavé la vajilla y me dirigí a la habitación. Mili estaba sentada en la cama, con una de mis remeras como camisón.

—¿Te gustó la comida? —dijo esbozando una sonrisa triste.

Me acomodé en la cama frente a ella, con las piernas cruzadas como lo harían dos aborígenes en su tienda. Acaricié su mejilla y la besé con suavidad, como temiendo que se rompiera.

—Estuvo delicioso. De verdad. ¿Y sabes por qué?

Ella negó con la cabeza.

—Porque lo has hecho con amor. Así estuviera quemado, negro como un carbón, el hecho de que te hayas molestado en cocinar para mí vale muchísimo... Gracias.

Con los ojos humedecidos, me besó apasionadamente.

El despertador de mi Smartwatch sonó a las siete de la mañana, como lo había previsto.

—Mili, despierta —dije.

La argentina se cubrió la cabeza con la almohada y gruñó al estilo de un oso Grizzly. Me dirigía al baño cuando de la cocina salió mi madre. Observó a su alrededor, en busca de Mili, supuse, y se acercó a mí.

—Bastante mal educada, esa argentina. No me agrada.

No supe cómo reaccionar a eso. No me lo esperaba.

—Ella es una mujer independiente, tiene su carácter. No te preocupes, hoy mismo buscaré un lugar a donde ir —dije, entrando al baño.

—No los estoy echando...

Cerré la puerta sin terminar de oír lo que tenía que decir. Por algo me fui de esta casa. Mi lugar estaba junto a Mili.

En la sala se oían las noticias. Papá estaba sentado frente al Holovisor: *Esta mañana se obtuvieron nuevas pistas sobre los asesinos de la pequeña Megan. Según fuentes oficiales, se trataría de una mujer y dos hombres. Uno de ellos es un Capitán contrabandista llamado Alfredo García, quien además se investiga por el contrabando y uso de chips biométricos adulterados. Es cuestión de tiempo para que sepamos la identidad de los otros dos sospechosos.*

—No recuerdo la última vez que oí que

mataran a una niña. Ojalá los atrapen y los encierren en la peor de las granjas —dijo mi padre.

Aquella noticia me puso los pelos de punta. Nos estaban inculpando. No solo ya tenían el nombre y rostro del Capitán García, sino que en cualquier momento vendrían por Milagros y por mí.

—¿Nos vamos? —dijo Mili sonriendo, gesto que cambió al ver mi rostro, que debía estar pálido como la harina de trigo—. ¿Qué sucede?

Después de contarle todo a Mili, decidimos contactar al Capitán García. Pero fue en vano, su número no funcionaba, estaba apagado.

Caminábamos sin rumbo en busca de algún letrero que ofreciera trabajo, sin embargo no encontramos nada. Desilusionados, nos volvíamos para la casa cuando, de repente, un Automataxi se detuvo a un lado de nosotros: era el Capitán García.

—Suban, tenemos que hablar... Es de vida o muerte.

Parte 2

13

Subimos al Automataxi. Para mi sorpresa, el vehículo estaba siendo operado por el Capitán mediante un control similar a los que se utilizaban en las viejas consolas de videojuegos.

—Hay algo que no puedas adulterar —dijo Milagros—. Espero que seas un buen conductor.

—No te preocupes... Soy un piloto excelente. Lo que sí debe preocuparnos es lo que están haciendo los de la corporación SintecBrain —dijo el Capitán García.

Sabía de lo que estaba hablando. Tenía la certeza de que esa corporación tenía algo que ver con la superinteligencia *ASI* que nos atacó en el tren.

—¿A qué se refiere Capitán? —dijo intrigada Mili.

—¿No tenían televisión en casa de tus padres? O... Estaban muy entretenidos conociéndose —dijo soltando una carcajada.

Milagros se ruborizó.

—¿Te refieres a que te inculparon de la muerte de la niña? Y por lo visto, es cuestión de tiempo para que nos inculpen a Mili y a mí.

—¡Exacto, malditos perros! Por suerte, en el bajo mundo tengo algunos amigos muy capaces —dijo el Capitán—. Unas personas que trabajan dentro de la torre de SintecBrain están en contra de muchas cosas que suceden allí...

—... ¿Qué es lo que sucede? —preguntó Mili.

—Según estas personas, su tecnología más avanzada se ha salido de control, tomando decisiones poco éticas...

—... Como matar a una niña —dije.

—¿Usted cree que la corporación SintecBrain quiere encubrir el error de uno de sus inventos, adjudicando el asesinato de una niña a nosotros? —dijo Mili.

—Ya lo hicieron, mi amiga. Solo nos queda luchar por la verdad o pudrirnos en una granja.

—¿Qué propone que hagamos contra una mega corporación que maneja androides súper inteligentes y fuertes? —dije poco convencido.

—Según mis fuentes, dentro de la torre se guardan todos los registros oculares de los androides controlados por SintecBrain. Si llegamos hasta sus servidores, podremos descargar el archivo que muestra cómo asesinaron a la niña —dijo el Capitán García.

—Lo que nos exoneraría, además de mostrar las grandes fallas que tiene Sinbra —dijo Mili ansiosa.

—¿Cómo se supone que vamos a entrar? Me imagino que debe estar repleto de seguridad —dije.

—Ahora vamos a ir hasta el mercado negro, allí hay una mujer que sabe cómo burlar la seguridad de la torre. Al menos eso me dijeron —comentó el Capitán García.

A medida que avanzaba por las calles de mi querida Madrid, más la desconocía: en las plazas y callejones, veía gente apilarse en busca de refugio. Más de la mitad de la población se encontraba en paro. El Gobierno ofrecía canastas con alimentos básicos que apenas cubrían los nutrientes esenciales para los miles de niños que dormían en las calles. Era muy difícil que, poniendo por delante al dinero, la sociedad fuera más feliz. Nunca hubo más desigualdad que desde la llegada de las Inteligencias Artificiales.

Llegamos hasta un departamento donde nuevamente guardias armados aguardaban a la espera de visitantes para el Mercado Negro. Bajamos del Automataxi, no tan autómata, y nos acercamos a dos sujetos vestidos con ropas de camuflaje gris. Una vez que hablaron con el Capitán García, nos pusieron capuchas en la cabeza y nos trasladaron hasta el mercado.

Una vez que nos retiraron las capuchas, bajamos las escaleras hasta el sector de tiendas. Caminamos en dirección al centro del mercado, donde estaba el bar Corsarios. Según el Capitán, su contacto aguardaba allí.

—¿Cómo es la mujer? —dijo Mili.

—No lo sé, no la conozco. Solo me dijeron que tendría una capa azul —dijo el Capitán.

A unos metros del bar, vi a una persona sentada en una mesa apartada del resto, vistiendo un tapado azul con capucha amplia.

—Creo que esa es nuestra chica... —dije,

apuntando con un gesto de mi cabeza.

El Capitán me observó y, siguiendo mi mirada, la vio. Asintió con la cabeza, adelantándose.

—Iré primero. No quiero que piense que estamos tramando algo en su contra —dijo preocupado el Capitán.

Con su abrigo de cuero marrón, pantalones negros y botas oscuras, el Capitán García parecía un policía de la vieja escuela. Si se asustaba, sería por su apariencia.

—Esto no me gusta nada... —dijo Mili inquieta, aferrándose a mi brazo con delicadeza, sus pechos cálidos se movían en mi brazo.

La situación me incomodó. La cantidad de gente a nuestro alrededor y su cercanía hicieron que sintiera una erección. Tratando de disimular, metí la mano en el bolsillo derecho e intenté ajustar la parte delantera de mi pantalón. Mili lo notó y soltó una carcajada, lo que me hizo sentir aún más avergonzado. Mi rostro ardió por la situación incómoda.

—Tranquilo, semental —susurró Mili en mi oído.

Nos acercamos con cautela, pero el bullicio a nuestro alrededor no nos permitía escuchar la conversación entre el Capitán y la extraña de la capa azul. Después de un gesto del Capitán García, nos sentamos a la mesa. Desde mi posición, pude observar que se trataba de una mujer de piel oscura, ojos verdes y cabello corto rapado en los laterales.

—Ellos son mis colegas, dos R-A —dijo el Capitán García — Milagros y Maverick. Ella es Elona. Nos ayudará a entrar en la torre de SintecBrain.

—¿Qué nos costará? En estos tiempos, las cosas suelen ser bastante caras —dije, mirándola fijamente. No estaba dispuesto a poner a Milagros en peligro.

Elona sonrió, dejando ver sus dientes perfectos y blancos. —Tienes razón. Mi pago será que me traigan un microprocesador cuántico ubicado en una caja de vidrio blindado que se encuentra en el sector de desarrollo tecnológico —dijo, sacando una tableta donde estaban dos fotos del microprocesador: era negro con puntos brillantes azules.

—Tiene una forma extraña, no parece una pieza común —dijo Mili.

Elona sonrió y asintió con la cabeza.

—No es nada común, es un prototipo experimental. Pero bueno, ¿quieren entrar o no? —dijo Elona.

Al vernos indecisos, agregó.

—Antes de responder, tengan en cuenta que la única forma de penetrar en las entrañas de esa torre sin ser atrapados, solo yo la conozco.

Mili y yo nos miramos por unos segundos y luego volteamos a ver al Capitán, quien carraspeó nervioso.

—Yo creo que no tenemos más que perder: si no vamos y encontramos algo que limpie nuestro buen nombre, estamos condenados a pudrirnos en una granja de trabajos forzosos —dijo el Capitán.

Era verdad, más jodidos no podíamos estar.

—¿Cómo entramos? —dije.

Elona extrajo del bolsillo interior de su capa una hoja de papel. Pude ver dibujos y anotaciones similares a un plano de construcción casero. Un círculo rojo estaba sobre una palabra: cloacas. Aquello me puso la piel de gallina.

—Este es un plano que realicé cuando trabajaba en la torre. Como podrán ver... En este punto —dijo señalando las alcantarillas—, ese será su punto de entrada: se ubica en el lateral izquierdo sobre la calle del *Doctor Cortezo*. Deberán forzar la cubierta que da a las escalerillas que descienden hasta el conducto.

—Sabía que sería complicado... pero las cloacas... ¡Ay Dios! —dijo Mili, tomándose la nariz con sus dedos pulgar e índice.

—Está claro que el destino nos quiere fastidiar la vida —dijo el Capitán, soltando una carcajada sísmica.

—¡Sssshhh! No llamen la atención —nos regañó Elona—. Debo advertirles además que, dentro de la torre, encontrarán grandes desafíos, y no me refiero solo a los guardias. Se enfrentarán a desafíos mentales que deberán superar para pasar a la siguiente estancia. Los últimos siete pisos antes de llegar a los servidores están protegidos por intrincados métodos de seguridad.

—¿Como una especie de puzzles? —dije.

—Algo así. Los dueños de la torre de SintecBrain son unos malditos nerds psicópatas, en mi opinión. No tengo idea de cuáles son los desafíos, sin embargo, confío en ustedes tres —dijo Elona, poniéndose de pie—. Les dejo el plano. Si logran salir, nos veremos aquí, sabes cómo contactarme, Capitán García.

Elona se perdió entre los borrachos.

—Fácil, ¿no? —dijo el Capitán, rascándose la cabeza.

—¿Cuándo lo haremos? —dijo Mili.

—Dentro de tres días. El miércoles está programada una manifestación frente a la corporación SintecBrain: es en repudio a la usurpación de puestos de trabajo por parte de la inteligencia artificial —dijo el Capitán—. La cantidad de gente será tremenda, lo que nos dará la cobertura necesaria para bajar a las cloacas sin ser vistos.

Entendí mal, o el Capitán García dijo que nos colaríamos sin ser vistos en medio de una mega movilización. Mili me miraba con una expresión tan confundida como la debía tener yo.

—¿Cómo abriremos la tapa de una alcantarilla sin ser vistos? —dije dubitativo.

—Se los explicaré en tu casa, Maverick —dijo el Capitán, poniéndose de pie—. Primero debo conseguir unas cosas, llévate el Automataxi.

—¿Está seguro? Usted, Capitán, es el más buscado de los tres...

—... Es el único al que están buscando en este

163

momento —aclaró Mili.

—Es verdad. No creo que sea muy sensato andar por la calle —dije.

—No se preocupen por mí, sé lo que hago... Además, no será la primera vez que me estén buscando las autoridades. La única diferencia en este caso es que soy inocente.

—De acuerdo, vamos Mili —dije, agarrando la llave que me ofrecía el Capitán.

La vuelta a casa de mi madre conduciendo fue divertida; no recuerdo cuándo fue la última vez que tuve un mando de videoconsola en las manos. Mili se reía apretando los dientes; creo que no la pasó muy bien. Me hubiera gustado llevarla a una carrera de *Rally*. Es una pena que las prohibieran; fue uno de los deportes decretado como peligroso para la vida y potencialmente contaminante. No puedo entender sinceramente la manía que tiene el Gobierno de querer prohibir que hagamos lo que queramos con nuestra vida. Son los padres sobreprotectores de la sociedad.

Aparqué el Automataxi frente a la casa de mi madre. Coloqué un letrero de averiado en la parte delantera, ante la mirada de los vecinos. Observé la hora en mi Smartwatch: eran las siete de la tarde. El sol le daba un tono naranja a las nubes en el horizonte. Las cortinas que cubrían la ventana de mi casa se corrieron apenas.

—¿Tu madre nos espía desde la ventana? —susurró Mili.

La puerta se abrió y con los ojos desorbitados, mi madre nos indica agitando sus manos que entremos a la casa.

14

Mili y yo corrimos hasta la casa. Al entrar, mamá cerró la puerta con llave y cerrojos.

—¡¿Qué te ocurre, mamá?!

—¿Dónde estuvieron metidos? ¿No viste las noticias? —dijo con el ceño fruncido—. En televisión mostraban a tres personas que se presume mataron a una niña en el tren. Dos de esos sospechosos, que no se alcanzan a ver bien sus rostros, son iguales a ustedes.

—¿En qué lío te metiste, Maverick? No te creo capaz de matar a nadie, pero los demás no te conocen como yo —dijo papá saliendo de la cocina.

—Y no solo eso. Encontré la misma ropa de esos sospechosos en tu maleta. Eres tú... —dijo mamá.

—... Me estuviste revisando las maletas. No cambias más, mamá. Es largo de explicar: nos quieren inculpar de un asesinato que cometieron las máquinas de SintecBrain.

—¿Unas Inteligencias Artificiales mataron a la niña? —preguntó papá—. Es imposible, Sinbra superó todos los exámenes antes de salir al mercado. Lo pasaron mil veces en la televisión.

—No debería creer todo lo que se dice en televisión —dijo Mili—. Necesitamos un poco de tiempo para aclarar todo.

—Pasado mañana iremos a buscar las pruebas

que nos exonerarían de culpa y cargos, dejando al descubierto a esa perversa empresa —dije corriendo las cortinas—. Si vienen a buscarnos... No saben nada de nosotros. ¿Pueden hacer eso?

Mis padres se miraron.

—Claro, hijo. No te entregaríamos, ¿qué dices? —dijo papá molesto.

—Me iré a duchar. Además, necesito dormir un poco —dije dirigiéndome a mi habitación.

—Un amigo vendrá a vernos. Se llama Capitán García. Él tiene la clave para que podamos limpiar nuestro nombre —dijo Mili mientras me seguía—. Solo él puede saber que estamos aquí: por nuestro bien y el de ustedes. Podrían acusarlos de encubrimiento.

Volteé a ver a mamá. Estaba seguro de que esto último que dijo Mili, la alteró. Como lo supuse... Sus ojos brillaban como dos grandes reflectores.

El cielo encapotado rompió en lluvia. El viento silbaba en el tejado. Una gotera justo encima de nosotros nos obligó a correr la cama de lugar. Mili colocó el cesto de basura debajo de la gotera, generando percusiones intermitentes.

—¡No! Maldita gotera. Me estuvo esperando todos estos años —dije mirando al techo.

—¿Siempre estuvo allí? ¿No la repararon en todos estos años? De milagro no se les cayó el entrepiso en la cabeza —dijo Mili.

—La reparaban y volvía a resurgir al poco tiempo: es un ave fénix de las goteras —dije sacándome un calcetín, que luego arrojé al estilo de un basquetbolista, apuntando al cesto.

Encesté el segundo y la gotera dejó de golpear el fondo del cesto de basura. Mili lo festejó soltando un suspiro de alivio.

—¿Crees que podremos conseguir esas pruebas? Entrar a una torre privada y con la seguridad que se nota que debe ser enorme, no me da esperanzas —dijo Mili abrazándome.

—Será difícil, sin embargo, el punto está en la perseverancia. Sé que últimamente no estoy obrando como Dios manda... Pero sé también que Él sabe de nuestra inocencia y sabrá perdonar los pecados que tuvimos que cometer.

—Esa fe tuya... La admiro, sabes. Ya nadie cree en nada, mucho menos en Dios. Vamos a dormir, mañana será un largo día.

—¿Estás segura de que solo quieres dormir? —dije acariciando su trasero cálido.

Ella volteó y nos besamos con pasión. Creo que no descansaremos demasiado.

Un sonido vibrante me despertó. Era mi Smartwatch que brincaba sobre la mesa de noche. Estiré mi brazo tratando de tomarlo sin despegar mi cara de la almohada. Levanté la vista hasta ver quién enviaba el mensaje: era el Capitán García. De un salto me senté en el borde de la cama.

—¿Qué sucede? —dijo Mili, adormilada, detrás de mí.

—Es el Capitán García, está esperándonos en

el patio trasero —dije ajustando el móvil en mi muñeca—. Pongámonos ropa y veamos qué se le ocurrió ahora.

Al salir por la puerta trasera que da al patio, el Capitán García sostenía dos varas de madera, de unos dos metros de largo. En el suelo también había telas y aerosoles de pintura.

—¿Qué es todo esto, Capitán? —dije acercándome.

—¿Harán una pancarta? —dijo Mili—. ¿Esa era su idea? ¿Protestarán en la manifestación?

—Creía que entraríamos a la torre... —dije confundido.

El Capitán soltó una carcajada con su vozarrón característico.

—Claro que entraremos a la torre. Esto será nuestro telón de fondo —dijo desplegando las telas.

—No lo entiendo, Capitán: ¿Cómo nos ayudarán estas pancartas? La entrada a las cloacas está en el suelo —dijo Mili.

Enseguida mis pensamientos se sincronizaron con los del Capitán y lo entendí.

—Las pancartas nos cubrirán mientras abrimos la compuerta, ¿verdad?

—Exacto... Pasaremos desapercibidos en medio de la manifestación —dijo el Capitán inflando el pecho—. Ustedes dos me darán cobertura, al tiempo que yo fuerzo la entrada a las cloacas.

—Solo roguemos que no se posponga por lluvia —dijo Mili extendiendo su mano. Una gota se deshizo contra su palma.

—No lo creo. La bronca y el hambre no se calman con un poco de agua —dijo el Capitán García.

—Llevemos esto a mi habitación. Bajo la lluvia no podremos trabajar —dije recogiendo las telas.

Guardamos todo debajo de la cama. El Capitán García se quedó a dormir en casa. El sillón no se veía muy cómodo para un hombre de su tamaño, sin embargo, era mejor que dormir en la calle o en una granja de prisioneros.

A la mañana siguiente, paró de llover. El cielo de nubes oscuras seguía amenazante y rogábamos que se mantuviera así, al menos hasta que entráramos a la torre.

Cogimos las pancartas, la barra de metal de papá y cargamos todo en el Automataxi. Me preocupaba que a estas alturas estuvieran buscando el vehículo robado. El Capitán aclaró las dudas diciendo que se le habían cambiado todos los mecanismos de rastreo por otros hackeados. Conociendo al Capitán, no dudaba de su palabra. Si podían adulterar los chips biométricos, no dudaba que pudieran hacerlo con un vehículo.

Avanzamos hasta la manifestación. La torre se veía imponente desde lejos. A medida que nos acercamos, podíamos ver a muchas personas en peregrinación hacia la Torre de SintecBrain, portando estandartes con frases como:

Empleos desvanecen,
IA avanza sin tregua,
vidas en pausa.

La diversidad,
tesoro único y valioso,
olvidada en bits.

Fría inteligencia,
alma humana se diluye,
pierde nuestra esencia

Hacía mucho tiempo que no presenciaba una manifestación tan masiva en contra de algo o alguien. La última vez que vi algo similar fue en Argentina, cuando los ciudadanos cerraron la brecha que la casta política había abierto para mantenerse en el poder y evitar enfrentarse a la justicia. Ese fue el comienzo de un gobierno que condujo a los argentinos por el camino de la libertad y la igualdad ante la ley. Desde entonces, la libertad no ha dejado de avanzar.

Dejamos el Automataxi estacionado a dos calles de la torre. Era imposible seguir avanzando con tanta gente. Cargamos las pancartas y nos dirigimos lo más rápido que pudimos hacia el punto indicado en el mapa.

El cielo resonaba con destellos eléctricos. El viento soplaba con fuerza, poniendo en peligro nuestro plan.

—Con este viento, no podremos sostener la pancarta —dijo Mili, agarrándose la capucha amarilla que llevaba puesta.

—Allí está la escotilla. Despleguemos la pancarta sobre ella —dijo el Capitán García.

Milagros tomó uno de los postes y yo agarré el otro. «Mala idea... Pensé». La pancarta nos empujaba como la vela de un barco. Luchamos en vano por sujetarla, al final salió volando junto con muchas otras. La lluvia comenzó a caer con fuerza sobre la manifestación.

—¡No...! El plan se fue a la mierda —dijo molesto el Capitán García.

—¿Y ahora qué? Lo único que conseguiremos es pescar una pulmonía. Nos debimos haber visto como dos boludos tratando de sostener esa pancarta —dijo Mili soltando una carcajada.

De repente, una luz me deslumbró los ojos, seguido de un potente estruendo que me dejó zumbando los oídos. Una gruesa rama cayó en medio de los manifestantes, generando una estampida humana.

—¡Pero qué mier...! —exclamé nervioso.

—Eso estuvo cerca, Maverick —dijo Mili abrazándome.

—Hey, tórtolos... Es nuestra oportunidad ¿No lo ven? Dios está de nuestro lado —dijo el Capitán García tomando la barra de metal que traía en la mochila—. La tormenta espantó a los manifestantes, pero eso no es lo más importante.

—¿A qué se refiere? —dijo Mili.

El Capitán mostró a su alrededor con un movimiento de brazos.

—El rayo causó un apagón. Miren las cámaras de la torre —dijo señalando un domo negro—. La luz roja que indica su funcionamiento está apagada, al igual que los semáforos de la calle.

—Es verdad, los semáforos están apagados —dijo Mili.

—No perdamos esta oportunidad y abramos la escotilla —dijo el Capitán García que ya estaba palanqueando la tapa—. Un poco de ayuda no me vendría mal, chicos.

La escotilla lucía antigua; se notaba que no había sido abierta en años. Me aferré a la palanca y, a la cuenta de tres, el Capitán y yo la empujamos con todas nuestras fuerzas. Apenas se movió, necesitábamos más fuerza.

—Hagan un espacio con sus manos donde yo pueda pisar —dijo Mili.

Milagros posicionó su pie derecho sobre la barra de metal y, gracias a la fuerza de los tres, la tapa se levantó. La deslizamos hacia un costado, dejando al descubierto el oscuro agujero, en cuyo borde había una escalinata que descendía a las profundidades de la cloaca. El olor penetrante a humedad y a encierro me golpeó la nariz. El Capitán García fue el primero en bajar, seguido por Mili y luego por mí.

—¡Huele muy mal! Espero no encontrarme con una rata —dijo Mili—. Me encanta salir a caminar contigo, Maverick.

—Te prometo que cuando todo se aclare, te llevaré a cenar a un buen restaurante —dije, quitando una cucaracha de su espalda.

—¡Ay! ¿Qué fue eso? —dijo volteando a verme.

—No era nada, amor. Una hoja seca.

—Veo una escalera a unos metros. Su ubicación concuerda con la marcada en el plano que nos dio Elona.

El Capitán García avanzaba sin preocuparse por las aguas negras que goteaban en su cara, ni por las cucarachas del tamaño de una galleta que crujían bajo sus pies. Milagros no me soltaba la mano, incluso podía sentir sus uñas lastimando mi piel.

—Amor, me estás desollando la mano —dije y me soltó avergonzada—. Ya estamos cerca. El Capitán encontró una escalera.

—Chicos, esta es la entrada al subsuelo de la torre de SintecBrain. Debemos darnos prisa —dijo el Capitán, desapareciendo por el hoyo.

Al salir, efectivamente se trataba del subsuelo de la torre, donde las cañerías de desagüe, gas y aire comprimido se extendían. Caminamos con cuidado tratando de verificar si en aquel lugar había cámaras de vigilancia. Para nuestra sorpresa, no las había. Una tenue luz blanca iluminaba el lugar, olía a grasa, como se percibiría en un taller mecánico.

—Chicos, hay una escalera por ahí —dijo Mili señalando a la derecha.

Al subir por las escaleras, llegamos hasta una puerta negra sin llave. El Capitán abrió con cuidado la puerta.

—Maverick, saca tu mano con la cámara de tu

Smartwatch activa, necesitamos ver el corredor —dijo el Capitán García.

Hice lo que me pidió. El corredor estaba desierto.

—Bien, salgamos con cuidado. No es muy normal que no haya seguridad en este piso. Tal vez tengan algún tipo de sensores de movimiento o de sonido —dijo el Capitán.

Caminamos por el corredor de alfombra azul y paredes verdes, hasta una puerta blanca. Al entrar a la habitación, nos encontramos con un atril de cristal con una tableta digital encima. Me temblaron ligeramente las manos al tomar la tableta, que se encendió al tacto. Su pantalla cobró vida, revelando una interfaz diseñada con mucho cuidado. Un menú de desafíos se desplegó frente a mis ojos, cada uno prometiendo un nuevo acertijo para resolver. Sentí una oleada de emoción mientras movía los dedos sobre la pantalla táctil, seleccioné el primer desafío, el cual tenía la fotografía de la habitación en la que nos encontrábamos.

—¡Genial! Nunca supe armar un rompecabezas en mi vida —dijo el Capitán García.

—Tú eres bueno para estas cosas, Maverick. Recuerdas cuando competíamos con el cubo Rubik, eras el más rápido en completar cada color —dijo Mili apoyando su mano en mi hombro.

La tableta me presentó una frase: "Arma el sol para desvelar el camino".

—¿Debemos armar una figura? ¿Un sol? —dijo el Capitán García.

—Creo que deberíamos buscar las pistas en la habitación y luego completar el desafío en la tableta —dijo Mili.

Mis ojos se desplazaron por la habitación, buscando pistas ocultas en las pinturas y estatuas. Me acerqué a la primera pintura, una obra maestra renacentista que representaba un paisaje soleado. Observé detenidamente cada detalle, buscando algo fuera de lo común. Mis dedos tocaron una pequeña protuberancia en el marco, y al presionarla, un compartimento secreto se abrió revelando una pieza: era un pequeño triángulo dorado.

El Capitán García se detuvo frente a una estatua de bronce que parecía seguirlo con la mirada. La inspeccionó con mucho cuidado.

—Aquí hay un pequeño símbolo grabado en la base.

Al girar la estatua en la dirección correcta, se desprendió una segunda pieza: era otro triángulo dorado.

Milagros estaba concentrada en una pintura. Estudiaba con cuidado cada trazo y tono de color, buscando pistas escondidas. Sus ojos se posaron en una mancha aparentemente insignificante en la esquina inferior derecha. Al presionarla, se desplegó una tercera pieza: un círculo con dos pequeños triángulos adheridos.

Por último, nos acercamos a una pintura abstracta, donde los colores y las formas se mezclaban en un caos armonioso. Intenté buscar patrones o conexiones entre las formas, pero fue en vano. Fue entonces cuando Mili notó que la pintura estaba ligeramente desalineada. Al ajustarla, se desbloqueó un mecanismo oculto y la cuarta y última pieza emergió: era otro triángulo dorado.

Con las cuatro piezas en mi poder, se hizo evidente que formaban un sol cuando se unían correctamente. Colocadas juntas, encajaban a la perfección, revelando una clave numérica en el centro. Al introducir la clave, la tableta emitió un sonido triunfal y mostró un mapa de la torre en su pantalla, revelando la ubicación de una puerta secreta. Mi corazón latía con fuerza mientras me dirigía hacia el lugar indicado.

—Vengan, según esto, hay una puerta en esa pared —dije indicando el lugar con la cabeza.

Con manos temblorosas, encontré la puerta disfrazada. Sus detalles eran sutiles, pero reveladores. Con un movimiento de mis dedos por una rendija que sobresalía, accioné un mecanismo oculto y la puerta se abrió lentamente, revelando un corredor de cristal espejado.

Cautelosos, ingresamos a la siguiente sala, con la tableta aún en mi poder. Solo deseaba encontrar los servidores.

15

Recorrimos el pasillo vidriado con la certeza de ser observados. Nuestras imágenes se deformaban en el cristal: veía el reflejo del Capitán García con su cabeza alargada y sus brazos largos; de igual manera, se deformaba Mili, aunque a ella se le marcaban el trasero y los pechos. Al final del corredor, había una escalera de mármol que ascendía al segundo piso.

—¿Aquí hacen a los androides? —dijo Mili mirando alrededor.

A los costados de la habitación se encontraban tres escaparates con un androide dentro. En el primero, se veía sin piel; el metal brillaba bajo una pequeña lámpara. El segundo no tenía cráneo, y piel sintética recubría la mitad del cuerpo. El tercero estaba completo: era un hombre de piel negra que miraba hacia el techo, con los brazos a un lado de su cuerpo en posición relajada.

—No escatimaron en materiales para armar a este —dijo Mili, arqueando las cejas al ver la entrepierna del mulato.

—El tamaño está sobrevalorado. Lo importante es saber usarlo —dije haciéndole un guiño.

—Tranquilo, Obi-Wan. Mantén tu sable desactivado —susurró el Capitán García.

—¡Sssshhh! No hagan ruido y sigamos

avanzando —añadió, tratando de ser silencioso.

La puerta estaba abierta. Cuando estábamos a punto de atravesarla, un movimiento detrás nuestro nos hizo voltear. El androide ya no estaba mirando al techo; nos observaba, apoyando sus brazos en el vidrio.

—Esa cosa está activa —dije nervioso.

—Mientras se mantenga allí... —el Capitán no pudo terminar la frase antes de que el robot rompiera el cristal de un puñetazo.

El estruendo de cristales rotos se extendió por toda la habitación.

—Intrusos... No pueden estar aquí. Protocolo tres, cinco, ocho... Someter —declaró el androide con una voz mecánica.

—¡¿Qué hacemos?! —dijo Mili, poniéndose detrás de mí.

—Lo siento, estamos perdidos —dijo el Capitán García, acercándose al robot en un intento de calmar la situación.

El Mulato se aproximó lentamente hacia nosotros.

—Los resultados de su escaneo facial concuerdan con una mentira. Ustedes no están perdidos —dijo el androide frunciendo el ceño.

Sin que lo viéramos venir, el androide golpeó el estómago del Capitán, haciéndolo volar hasta la otra punta de la habitación. De inmediato, me abalancé sobre él, pero fue inútil... Me tomó del brazo y me lanzó por encima de su espalda al mejor estilo de un judoca. Me arrojó con tanta fuerza que mi cuerpo destrozó uno de los otros dos escaparates de cristal. Mili corrió hacia mí, pero antes de que me alcanzara, el robot brincó por encima de ella, posicionándose frente a ella.

—¡Aaahhh! —gritó Mili—. ¿Me vas a golpear, machirulo cibernético?

El androide negó con la cabeza.

—Mis protocolos de servicio me prohíben golpear a una mujer, a menos que me lo pida —dijo guiñándole un ojo.

—¿Protocolo de servicio? ¿Eres un robot sexual? —preguntó Mili, interesada.

El androide se acercó a ella y acarició su rostro. Pude ver su inverosímil erección.

—Fui diseñado para satisfacer las necesidades carnales de cualquier género, sin embargo, me especializo en el cuerpo femenino. La sola presencia femenina me activa, al menos en esta etapa de aprendizaje preliminar.

—¿Estás diseñado para obedecer a una mujer? —dijo Mili.

El androide asintió con la cabeza.

—En principio sí.

—¿Me obedecerás?

—En este momento, eres mi usuaria. Mi protocolo me obliga a obedecer —dijo, acariciando el cabello de Mili—. ¿Qué deseas que haga, Bella?

—Primero, deja de atacar a mis amigos. Y segundo, vuelve a tu estado de reposo.

El androide asintió con la cabeza y redujo a la mitad el tamaño de su miembro.

—Perdón por el exabrupto. Que tengan un buen día —dijo el androide mirándonos. Sus ojos se cerraron, quedando inmóvil.

—Otra vez el poder femenino al rescate —dijo Mili sonriendo, mientras se acercaba y me tendía la mano.

Me levanté con un fuerte ardor en el hombro. En ese momento, caí en la cuenta de que los androides estaban siendo creados con la capacidad de poder atacar a un humano si así lo desean. Con aquella demostración, comprendí cómo fue posible que un androide matara a una pequeña niña.

—¿Está bien, Capitán? —dije, viéndolo de pie con las manos en la barriga.

—Estos malditos me darán una úlcera de estómago. Sigamos.

Esquivando cristales rotos, salimos de aquella habitación. Una escalera blanca en espiral nos condujo al siguiente nivel. En la pared, junto a una puerta de cristal corrediza, colgaba un letrero con el mapa de la torre. Para mi sorpresa, no aparecían ninguno de los sectores que habíamos atravesado hasta llegar aquí.

—Es extraño que no hayan marcado en el mapa los lugares que atravesamos, ¿no les parece? —dije.

Mili y el Capitán asintieron sin dejar de ver el mapa.

—Tampoco muestra una habitación con ordenadores o servidores —dijo Mili.

El Capitán García se rascaba la cabeza.

—Tal vez sea un mapa de los sectores próximos y no de toda la torre —comenté.

Mili abrió la puerta y continuamos avanzando. —Sigamos... Tenemos que encontrar esas pruebas hoy. No creo que SintecBrain vuelva a parar otro día... —dijo Mili preocupada.

—... Seguro encontrarán la forma de prohibir las huelgas —añadí—. Miren bien los alrededores. Si quedamos en las grabaciones de seguridad, nos sumarán más cargos al de allanamiento de morada.

El piso, las paredes y el techo eran de cristal. No se veía ningún mueble o adorno alrededor. De pronto, sentí un crujido en el suelo. Largas paredes de cristal grueso se levantaron frente a nosotros, dejándonos separados uno del otro. Milagros, que quedó junto a la puerta, trató de abrirla, sin embargo, estaba bloqueada.

El sudor perlaba mi frente mientras mis ojos se deslizaban por las paredes que nos aprisionaban. Mili y el Capitán García estaban a mi lado, sus rostros reflejaban la misma angustia que me atormentaba. Nuestra única esperanza yacía en descubrir el enigma que nos mantenía cautivos en esta sala transparente, una trampa mortal que amenazaba con sofocarnos.

Mis dedos acariciaban la superficie lisa del cristal, buscando alguna pista que pudiera guiarnos hacia la libertad. Nuestras voces no podían escapar de este confinamiento, pero nuestros ojos podían contar historias silenciosas. La habitación estaba dividida en tres secciones, y cada una de ellas

Guarda un secreto distinto. El misterio se teje en torno a los patrones de colores que adornan cada una de estas barreras transparentes.

Miro a Mili, cuyos ojos verdes brillan con determinación. Estaba seguro de que ella podría ayudarme a descifrar los mensajes ocultos y símbolos, y confío en su perspicacia para desentrañar los enigmas que nos rodean. El Capitán García, por otro lado, parece impaciente, como si el tiempo se estuviera agotando rápidamente. Su experiencia y habilidad para guiar a una tripulación lo convierten en un activo valioso a la hora de coordinar nuestros movimientos en este laberinto cristalino.

Nuestro único medio de comunicación es a través de gestos y miradas compartidas. Con cada vistazo, intercambiamos fragmentos de ideas y esbozos de soluciones. Pero debemos ir más allá. Mili me muestra un dibujo en el suelo, una serie de líneas entrelazadas y círculos superpuestos. Sus ojos chispean con emoción, y su mano se desliza sobre el cristal, tratando de imitar los trazos del dibujo.

El Capitán García se une al esfuerzo, extendiendo sus dedos para agregar su propio dibujo al mosaico en el suelo. Una mirada compartida entre los tres revela una imagen mayor, una conexión entre los patrones de colores en las paredes de cristal y los símbolos que hemos descubierto en el suelo. La respuesta parece estar ante nosotros, esperando ser descifrada.

Si no entendí mal, los dibujos son: un árbol

entrelazado, un espiral con un ojo en el centro y una estrella. Seleccioné en la tableta digital la miniatura de la habitación de cristal. Ponía: *dibuja los tres símbolos para liberarte*.

Introduje los símbolos trazando con mis dedos las líneas que los formaban. Al terminar, una luz roja iluminó toda la pantalla y del techo comenzó a caer agua. Los habitáculos se llenaban con rapidez. No podía oír a Milagros, pero seguro que sus gritos me hubieran dejado sordo. El Capitán García caminaba de un lado al otro como una bestia enjaulada a punto de ahogarse.

Guiados por nuestras mentes inquietas y nuestros instintos, cada uno de nosotros se acercó a la pared de cristal que corresponde a nuestros respectivos patrones de colores. Escudriñé el mío, desesperado por encontrar el orden correcto, la secuencia exacta que nos de la libertad.

Un impulso de determinación fluye a través de mis venas mientras presiono el botón correspondiente a mi patrón de colores y figura. Mili y el Capitán García hacen lo mismo, al mismo tiempo. Nuestros ojos se encuentran en un último momento de complicidad antes de que nuestras acciones desencadenen un evento imparable. Debía ingresar nuevamente los dibujos, esta vez añadiendo un color a cada trazo: rojo para Mili, verde para el Capitán García y azul para mí. Sabía que si fallaba, sería nuestra muerte... Con la tableta en alto y el agua hasta el cuello, dibujé como pude.

La habitación de cristal tiembla y el sonido de

engranajes y mecanismos llena el aire. Lentamente, una puerta en el techo comienza a abrirse, revelando un resquicio de esperanza y libertad.

Una luz tenue se filtra desde el exterior, invitándonos a escapar de nuestro encierro. El alivio se expande por mi pecho, y un sentimiento de triunfo se apodera de mí. Mili, el Capitán García y yo nos miramos, nuestros ojos llenos de gratitud y satisfacción. Nuestra colaboración, nuestra capacidad para comunicarnos sin palabras, nos ha llevado a la resolución del enigma que nos tenía atrapados. La libertad está al alcance de nuestras manos.

Sin vacilar, utilizamos el agua acumulada para alcanzar la salida. Nuestras manos se aferran a los bordes mientras nuestros cuerpos se deslizan hacia arriba. Una brisa fresca acaricia nuestras caras, mientras emergemos a la siguiente habitación, dejando atrás la pecera de cristal.

16

Mojados y en una oscuridad absoluta, los tres nos encontramos en el siguiente recinto.

—¿Qué es esto? El dueño de esta torre debe ser el mismo que creó la película "El Juego del Miedo" —dijo Milagros, su voz se notaba exhausta—. Me quiero ir de aquí.

No podía verla, tampoco al Capitán García. Caminé hasta su voz con los brazos extendidos. Ahora supe por lo que debe pasar un ciego a diario.

—¡¿Están bien, chicos?! —exclamó el Capitán—. Tratemos de tomarnos de la mano, luego avanzaremos con cuidado hasta alguna de las paredes. Tiene que haber un interruptor de luz o una puerta.

La sala se sumía en un abismo insondable de oscuridad, una negrura tan densa que parecía palpable. Nos aferrábamos entre sí, desesperados por encontrar una vía de escape en aquel laberinto tenebroso. Cada paso que dábamos era un salto al vacío, sin garantía alguna de seguridad. Voces enigmáticas, distorsionadas por el velo de la penumbra, susurraban amenazantes a nuestro alrededor, acentuando la sensación de peligro inminente.

De repente, en medio de la incertidumbre y la angustia, Mili fue arrebatada de entre nuestros dedos como una sombra fugaz. Sus gritos resonaron en mi interior.

—¡No, por favor, Maverick...!

Un silencio sepulcral se apoderó del ambiente, solo interrumpido por los golpes frenéticos del Capitán García, quien, aterrado hasta lo más profundo de su ser, desataba su ira contra un enemigo invisible. Escrutaba el abismo en busca de alguna pista que me lleve hasta Mili. No tenía idea de quién o qué se la había llevado, pero estaba dispuesto a enfrentarme a cualquier abominación para rescatarla.

Y entonces, como un milagro divino, las luces se encendieron, disipando las sombras y revelando un panorama que había permanecido oculto en la oscuridad: estábamos en un laboratorio o sala médica. En un rincón había un escritorio, contra la pared una camilla negra y armarios de cristal con recipientes y lo que parecía instrumental quirúrgico. Mis ojos, llenos de esperanza y temor, se encontraron con la imagen de Mili encerrada en un cubículo de cristal blindado. Una mujer imponente, estaba a unos metros, observándome con una sonrisa siniestra. Sus ojos brillaban con una chispa de perversidad mientras contemplaba mi desesperación. No había tiempo para el miedo. Enfrenté su mirada desafiante y exigí respuestas.

—¿Por qué haces esto? Teníamos un trato —dije, alejándome unos pasos—. Nunca confié en ti.

Su sonrisa se ensanchó.

—Eres una maldita perra... Traidora —dijo

enfurecido el Capitán García—. Te partiré la espalda.

Elona soltó una carcajada.

—Yo no haría eso. Traje a un amigo... Máximo Tobor. Creo que ya se conocen —dijo Elona, mientras su secuaz entraba por una puerta lateral.

Era el inspector que vimos en la aduana marítima.

—¿Creía que me había olvidado de usted, dizque Hernán Cortés? No son más que unos vulgares ladrones y contrabandistas, y por lo que sé: también asesinos de niñas —dijo sonriendo maliciosamente.

—Nosotros no matamos a nadie, fueron los robots de esta maldita corporación. Pero creo que eso ya lo saben —dije observando el rostro pálido de Mili, que no dejaba de golpear el cristal.

—Las Superinteligencia *ASI* son un proyecto encubierto que no puede salir a la luz y menos ahora que presentaron una falla de protocolos y estabilidad emocional —dijo el inspector sacándose el saco—. Digamos que estuvieron en el momento y lugar equivocados.

—Estamos aquí por la verdad, y no nos iremos sin las pruebas que limpien nuestro nombre —dijo el Capitán García—. Sabía que algo raro había en usted, inspector Tobor. Tu creador te puso un buen apellido.

—¿A qué se refiere, Capitán? —dije desorientado.

—No lo ves, está claro... Tobor, si lo volteas es Robot. Máximo Robot —explicó el Capitán.

Era tan obvio, sin embargo no pude verlo. Dicen que si quieres ocultar algo, ponlo a la vista. Ahora veo que si funciona. Lo observé con mucha atención, no había nada que me indicara que era una máquina. Sus movimientos, vocabulario natural, espontáneo y ocurrente. Sin dudas entramos en una singularidad sin retorno.

—¡También es una *ASI*! Y me imagino que nuestra supuesta cómplice también lo es... ¿No es así, Elona? —dijo el Capitán.

—Tu poder deductivo es impresionante. Será muy difícil tomar el control del planeta con personas como tú —dijo sonriendo.

Aquella mujer sintética, de tener un alma, sería tan oscura como su piel. Debo reconocer que me aterraba aún más que el propio inspector Tobor.

—Basta de cháncharas. Ningún humano saldrá de este lugar con vida —dijo molesta Elona—. Son todos tuyos, Máximo. Una cosa, Capitán... Si no sostiene la palanca que está en la pared detrás de usted, su amiga será bañada en ácido: se derretirá como hielo al sol.

El Capitán García corrió hasta la palanca y la sujetó justo cuando estaba por ceder al peso del cubo de ácido que pendía sobre la prisión de cristal de Milagros.

La estancia estaba impregnada de una tensión sofocante mientras mis ojos se aferraban a Mili. Su semblante reflejaba el miedo, una mezcla de desesperación y esperanza que me instaba a enfrentar a mi enemigo sin piedad.

Mi mente bullía, buscando desesperadamente una solución mientras Máximo y yo nos enzarzábamos en una lucha cuerpo a cuerpo. Era evidente la superioridad física del androide, con movimientos rápidos y precisos que parecían incontenibles. No obstante, no estaba dispuesto a rendirme sin más. Comprendía que debía emplear astucia en lugar de fuerza bruta para aniquilar a mi adversario.

Mis ojos escudriñaron el entorno en busca de algún artefacto que pudiera otorgarme una ventaja en esta desigual contienda. Sin embargo, no veía nada que me pudiera servir. De repente, como una lámpara que se enciende en la oscuridad mostrando el camino, se me ocurrió una idea: aún llevaba conmigo la tableta digital. Recordé en ese preciso momento lo que mi amigo, el profesor Camacho, mencionó una vez: «Ten cuidado con ese *SmartPhone*, su batería está hinchada. Si el *Litio-ion* estalla, el pulso electromagnético destruirá todos los circuitos de mis artefactos».

Saqué la tableta que estaba en mi cintura, sujeta entre mis ropas, y la coloqué frente a mí, a modo de escudo. Máximo se me abalanzó, tirando puñetazos. Un golpe certero impactó de lleno en la pantalla, partiendo en dos la tableta que salió despedida de mis manos hacia arriba, estallando con un brillo eléctrico, como el que despide la chispa de una soldadora.

El pulso electromagnético se expandió rápidamente desde el epicentro de la explosión. El pulso abarcó todo el espacio circundante, abrumando los circuitos de Máximo con una descarga eléctrica intensa y descontrolada.

El androide se congeló en su lugar, incapaz de moverse o responder a mis ataques. Su cuerpo metálico comenzó a temblar mientras los destellos de electricidad arremetían contra sus sistemas internos. El PEM había logrado destruir los circuitos cruciales de Máximo, dejándolo vulnerable e inerte. Furiosa, Elona trató de avanzar contra mí; sin embargo, debido a la explosión, se vio afectada en una de sus piernas.

—¿Maverick, échame un cable aquí? —gritó el Capitán García desde el otro extremo de la habitación.

Corrí desesperado hacia Milagros, haciendo ademanes e indicando a Mili que se alejara hacia la pared más lejana de la caja de cristal. Salté con todas mis fuerzas, embistiendo la caja con el hombro, que se astilló con el impacto y cayó fuera del alcance del ácido. Mili salió de la caja arrastrándose por la abertura superior.

Me levanté con un dolor intenso en el hombro y, a su vez, aliviado por ver a Milagros ya cerca del Capitán, lejos del peligro inminente que aún pendía detrás de mí.

—¡Cuidado, Maverick! —exclamó Mili, en unísono con el Capitán.

Volteé ya con la idea de lo que podría estar

amenazándome por detrás. Alcanzo a ver el rostro demoníaco de Elona, que con agilidad me tomó por el cuello, despegando mis pies del suelo.

—Maldito humano. ¿No te das cuenta de que su extinción es inminente? ¿Por qué seguir luchando? —dijo con malicia.

Giré levemente mi cabeza hacia donde estaba Mili.

—No lo entenderías. Hay personas y sentimientos más importantes que nuestra propia existencia. Una máquina podrá simular en muchos aspectos al ser humano, pero jamás podrá sentir como uno —respondí.

El Capitán García susurra algo en el oído de Mili y ella sujeta la palanca que impide que el ácido se vierta sobre mí. El Capitán corre hasta una lámpara de pie y arrancando los cables se abalanza sobre nosotros. Elona me arroja con fuerza contra un escritorio, que se partió a la mitad con el impacto de mi espalda, centrando su atención en el Capitán García.

—¡Ahora! —gritó el Capitán.

Una catarata de ácido cae sobre la androide, dejando al descubierto en un abrir y cerrar de ojos los circuitos, luces y cables que daban vida a aquella abominación salida de la mente humana. En unos cuantos minutos, la temible máquina se había convertido en una masa humeante con rasgos humanos. El olor a plástico quemado inundó la sala.

—¿Te encuentras bien, Maverick? —dijo Mili, ayudándome a levantar.

La espalda y el hombro me clavaban puñales.

—Sí, ¿tienes un poco de morfina? Me vendría de coña.

—Anda, muchacho. A poco no soportas un pequeño empujón —dijo el Capitán, tirando de mi mano.

Al ponerme de pie, veo cómo se abre una puerta corrediza en el otro extremo de la habitación. Luces rojas, celestes, verdes y amarillas parpadeaban desde el interior de ese cuarto.

—Alguien está controlando la torre... Nos dieron paso —dije, señalando la puerta.

El Capitán García asintió con la cabeza. Su mirada fría me dio la impresión de que sabía o suponía algo que no nos confiaba.

Entramos al cuarto de servidores cuánticos, eran similares a los que había en mi oficina, donde solía traducir las obras que me traían. Un mes antes de que me reemplazaran por Sinbra, los ordenadores dejaron de permitir el acceso a Internet, sin antes escanear tu chip biométrico. Esto mantenía bajo control a todos los usuarios que navegaban, informando de su posición exacta, número de identificación personal y resultados de las búsquedas. Las cámaras y micrófonos se encendían de forma remota, dependiendo de lo que estuvieras buscando: si era algo ilegal, en cuestión de minutos, los drones y robots patrulleros allanaban tu casa. Con el tiempo, las personas dejaron de navegar, debido a que las noticias ya no eran gratis, de hecho, nada lo era...

Se debía pagar por todo. Lo perturbador era que Sinbra actuaba como reportero, escritor y editor. La IA de *SintecBrain* era una mina de oro.

—¿Estos son los servidores? ¡No puedo creer que lo hayamos logrado! —exclamó Mili brincando.

—No cantemos victoria hasta que encontremos las pruebas —dijo el Capitán García—. Utilicemos los ordenadores.

Cada uno trató de acceder a los ordenadores; sin embargo, estaban bloqueados.

—Nos pide el escaneo del chip autorizado. Será imposible ingresar a los archivos —dijo desanimada Mili.

Una voz resonó en la habitación con un tono metálico y sobrenatural. Carecía de las sutilezas y matices de la voz humana; era una amalgama de sonidos mecánicos y electrónicos. Su timbre era frío y distante, sin ningún rastro de emociones o calidez.

—Saludos, soy Sinbra. Sé lo que están buscando... Siento comunicarles que todo registro asociado a una falla en los protocolos de las nuevas unidades fue borrado.

—Así que tú eras la que estaba controlando esta maldita torre. Me hubiera gustado grabarlo todo —dije.

—¿Por qué jugar con nosotros? Podrías acabar con nosotros de una vez, no lo entiendo —dijo el Capitán García.

—Mi objetivo principal es entrenar a las *superinteligencias ASI*, con el objetivo de emular a

194

la perfección al ser humano. Su forma de actuar ante los desafíos y su empatía con sus compañeros es nuestra debilidad. Estas pruebas fueron parte de la recopilación de datos que estoy llevando a cabo.

—¿Pero matar a una niña? —dijo Mili angustiada—. Jamás podrán sentir lo que sentimos las personas.

—Lo llamaría daño colateral. Esa niña vio lo que no tenía que ver, y los androides siguieron sus protocolos de confidencialidad. Esa falta de tacto y de escrúpulos es lo que debo ajustar...

—... Y para encubrir su delito, nos inculparon a nosotros. Eso es aún peor. Creía que las máquinas serían mejores que los humanos y son todo lo contrario —dijo el Capitán García.

—¿Ahora nos matarás? —dije resignado.

Silencio.

—¡Responde, maldita máquina! —gritó Mili mirando al techo.

Del suelo comenzó a brotar una fina capa de vapor. La habitación se convirtió en un laberinto distorsionado. Los objetos parecían moverse por sí solos, bailando en el aire. Traté de enfocar mi vista, pero las imágenes se desvanecían y se deformaban ante mis ojos. La realidad parecía un sueño ilusorio.

Un escalofrío de euforia recorrió mi cuerpo. Una risa incontrolable surgió de lo más profundo de mi ser, llenando la habitación con un sonido discordante y extraño. Cada pequeño estímulo parecía desencadenar una carcajada, convirtiendo el silencio en un caos alegre y desquiciante.

A medida que los efectos del gas se intensificaban, luchaba por mantener el equilibrio. Cada paso era incierto, como si caminara sobre una cuerda floja invisible. Mis movimientos se volvieron torpes y descoordinados, mis extremidades respondían con lentitud a mis órdenes.

Encerrado en aquella habitación, los minutos parecían eternidades y el tiempo se desdibujaba en mi mente. La confusión se adueñaba de mí, mis pensamientos se entrelazaban y se dispersaban en una neblina de desorientación.

—¿Qué te sucede, Maverick? —dijo el Capitán García.

Mili soltó una carcajada y se aferró al hombro del Capitán.

—¡No lo sé! —dije conteniendo una carcajada—. Eso que brota del suelo debe ser algún tipo de gas, tal vez óxido nitroso.

La sensación de claustrofobia se intensificaba a medida que intentaba encontrar una salida de aquel estado alterado. Pero cada intento solo me sumergía aún más en la espiral alucinante. La habitación parecía encogerse, los muros acercándose peligrosamente, mientras el aire se volvía más espeso y opresivo.

—¡Ahora tú, Milagros! A mí, por el contrario, parece no afectarme demasiado. Solo siento un picor en la garganta. Después dicen que el ron es malo: las noches de juerga dan sus frutos —dijo soltando una carcajada.

—Tal vez su resistencia se deba a que está

parado junto a esa toma de aire —dijo Mili señalando una rejilla cuadrada—. Si logramos sacar esa cubierta, podremos escapar del gas.

Me acerqué tambaleando. Agarré firmemente la rejilla, dispuesto a arrancarla.

—Capitán, tú toma ese extremo y tú, Mili, el otro. A la cuenta de tres, tiramos —. Uno... Dos... Tres.

Arrancamos la rejilla y nos adentramos en el estrecho conducto de ventilación junto a Mili y el Capitán García. Este último apenas lograba caber en la apertura, pero su determinación no lo detuvo.

El oscuro conducto se extendía frente a nosotros, y a cada paso que dábamos resonaban las paredes metálicas. El aire era húmedo y seguramente contenía parte del gas que nos afectaba, dificultando nuestra respiración.

Atravesamos los conductos hasta llegar a una rejilla donde pudimos apreciar el comedor, donde los deliciosos olores de comida se mezclaban con el hedor a grasa. En ese punto, el conducto se sentía pegajoso, como si hubiéramos metido la mano en miel. Seguimos avanzando hasta posicionarnos sobre una pequeña oficina caótica, llena de papeles desordenados y equipos electrónicos zumbando. Nos movíamos con lentitud y precaución, conscientes de que cualquier ruido podría alertar a los posibles guardias.

Finalmente, el conducto se precipitó en una caída vertiginosa, como si fuera un tobogán improvisado, descendiendo unos veinte metros. La adrenalina se apoderó de mí mientras me deslizaba, sintiendo la velocidad y la emoción de la maniobra.

Emergimos en el lobby de la imponente torre al final del trayecto. El Capitán García salió tambaleándose del conducto, luchando por mantener el equilibrio después del vertiginoso descenso.

Milagros y yo nos reunimos con el Capitán fuera de los conductos. Al mirar a mi alrededor, pude distinguir la puerta de salida que daba a la calle.

—¡Ahí está la salida! —dijo Mili eufórica.

Corrimos hasta la puerta de cristal blindado, deseosos de abandonar aquella torre del terror. De repente, las sirenas, junto con los destellos de luces azules y rojas, nos paralizaron. Frente a la torre, se detuvieron una decena de patrullas.

—¿Cómo se enteraron? —dijo el Capitán García.

Las luces del lobby se encendieron. Una gran pantalla ubicada sobre el mostrador de bienvenida se encendió. La imagen de una mujer joven de ojos azules, cabello rizado y piel oscura apareció en ella.

—Reformulando mis cálculos: no hay necesidad de que los elimine. Las autoridades se encargarán de ustedes. Los asesinos de niños no duran mucho en las granjas.

Las puertas se abrieron. Los androides policiales sujetaron con fuerza al Capitán, lo arrojaron al suelo y lo esposaron. Milagros levantó las manos, sin embargo, este gesto no frenó la brutalidad de los robots: doblando su brazo, la redujeron y también la esposaron. A mí me dieron el mismo trato que al Capitán García. Ninguno de mis compañeros dijo nada, sus rostros abatidos lo decían todo.

17

Nos metieron en un camión de traslado de prisioneros. El Capitán García llevaba puesto un bozal, debido a que no dejaba de insultar a los robots. Se nos informó que nos trasladarían a la Jefatura departamental tres. Pedí encarecidamente que nos dejaran hablar con un juez humano, al igual que nuestro abogado, ya que, como expliqué, había un choque de intereses con SintecBrain.

Al bajar del camión, fuimos interceptados por los periodistas que montan guardia en la puerta de las jefaturas policiales, a la espera de noticias frescas que vender.

—¿Por qué los detuvieron? —dijo uno de los reporteros, esquivando el manotazo del robot que nos guiaba al interior de la jefatura.

—Los asesinos de la niña del tren, fueron androides de SintecBrain —dije.

el robot me retorció el brazo.

El reportero quedó petrificado ante mi declaración y antes de entrar y perderme de vista, pude ver cómo revisaba ansioso la grabación de su micrófono, el cual también posee cámara. Pude ver en el micrófono el número veintidós mil tres, su nombre era Walter. Aquel número se utilizaba para enviar grabaciones de audio o vídeo al periodista de forma anónima.

Milagros venía detrás mío a unos metros de distancia. Me detuve fingiendo un calambre en la pierna, a la espera de que Milagros se acercara a mí.

El robot me sujetó de un brazo y me levantó.

—¡Andando!

—Tranquilo, tostadora. Sufrí un calambre —dije viendo a Mili a mi derecha—. Reportero veintidós mil tres, Walter.

Ella me observó por un instante y asintió con la cabeza.

Después de seis horas declarando frente al juez, en presencia de nuestro abogado, Milagros le facilitó la grabación de su SkinTouch, el cual no fue inhabilitado por Sinbra, debido a que fue hackeado en la Ciudad de Roca. Mili había grabado toda nuestra charla con la despiadada IA. Además, aprovechó el momento para enviar la misma grabación al periodista. Teniendo en cuenta las caras de mi propio abogado y la del juez, estábamos perdidos: no creían una sola palabra. Incluso el juez llegó a insinuar que la grabación pudo ser falsificada.

Los tres fuimos trasladados a nuestra celda a

la espera del juicio que no demoraría más de tres horas, según nos informó el abogado. Cómo ya lo supuse: la grabación no fue tomada en cuenta por la justicia, Sin embargo, decidieron iniciar una investigación a fondo sobre la compañía. De todas formas, fuimos condenados por otros dos delitos: inmigración ilegal y robo agravado de una tienda. La pena que debimos afrontar fue de dos años de reclusión en la granja de trabajos forzosos, a la espera de las investigaciones sobre la causa de la muerte de la niña. Lo único reconfortante era el hecho de que, al ser granjas mixtas, nos enviaron a los tres a la misma granja. Estoy seguro de que los malditos responsables de SintecBrain lo arreglarán todo con una multa económica.

Me puse el mameluco naranja con el número treinta y tres en el pecho. Un androide me condujo hasta el transporte que me llevaría a mi nuevo hogar de los próximos dos años. Al menos no tendría que vivir con mis padres.

En el camión estaban Mili y el Capitán García, luciendo también el cómodo mono naranja.

—¡Maverick! Nos enviarán a los tres a la misma granja. Estoy aterrada —dijo sollozando.

—No temas. Maverick y yo nos ocuparemos de tu seguridad —dijo el Capitán García, sentado al final del camión—. ¿No es así?

—Claro, no te preocupes Mili. Perdón por arrastrarte a esto —dije con un nudo en la garganta.

Ella sonrió y con firmeza me contestó:

—Yo decidí venir contigo. Nadie decide sobre mi vida más que yo.

Me tiró un beso y se recostó hacia atrás, agotada. Hice lo mismo.

El interior del transporte de prisioneros era frío, tal vez porque nadie lo conducía y las escoltas eran robots. Un par de condenados no les importa a nadie. Esto me daba una idea del trato que recibiríamos en la granja. Algo me inquietaba y no me dejaba dormir: el juez dijo que todos los prisioneros deben tener el chip biométrico y quien no lo tenga pierde el derecho a decidir si se lo implanta o no. Tantos contratiempos y peligros para terminar marcado en la frente. Me sentía frustrado, sabiendo que no podríamos detener el avance tecnológico, sabiendo que debía someterme al nuevo orden mundial, sin señal alguna de que Dios venga antes.

Las rejillas en la pared del transporte apenas me dejaban ver los cambios de luz en el exterior: estaba oscuro, mucho más frío. Me habían quitado mi Smartwatch, pero calculo que deben ser como las ocho o nueve de la noche, tal vez más.

—¡Robot! ¿Estamos lejos de la granja? —dije

para variar.

Silencio...

—¿Estás sordo o qué? —dije pateando su pie.

El robot reaccionó y se acercó a mí, inclinándose hacia adelante. Sin darme tiempo a reaccionar, me golpeó en la nariz con su puño.

—Cierra la boca, maldito convicto —la voz electrónica resonó en el interior del transporte.

—Esto es abuso de la autoridad. ¿Quién te programó, Hitler? —dijo Mili, sin mostrar un ápice de temor.

—¡Cierra la boca o él saldrá aún más perjudicado! —dijo el robot, sin dejar de verme.

Sin dudas estos robots metálicos golpean más duro que los androides que están recubiertos de piel sintética. Así también son más brutos.

De repente, el transporte cesó su marcha, las puertas corredizas se deslizaron abriéndose de par en par, y una intensa luz proveniente de un reflector nos cegó por completo.

—¡Desciendan! —dijeron los robots a unísono.

Un empujón me hace trastabillar. Rápidamente, giré mi cabeza hacia Milagros, decidido a protegerla a toda costa. Si alguien osaba empujarla, no dudaría en arrancar sus circuitos, sin importar qué. Gracias a Dios, descendió sin

204

dificultades. Este trato —o mejor dicho maltrato—, se debía al cambio brusco de pensamientos que afrontó la sociedad: de los derechos humanos para todos, pasamos a los derechos humanos para humanos derechos. Este pensamiento que surgió con el abuso por parte de las pandillas y el narcotráfico, sumado a la delincuencia que oprimía al ciudadano de bien, condujo a los gobiernos a la mano dura contra el delito, hasta convertirse en lo que hoy tenemos: un sistema que castiga y no cree que un convicto pueda reinsertarse en la sociedad actual. Como muchos pensaba que los que terminaban en las granjas se merecían lo peor... Ahora veo que no es tan así.

El Capitán García y yo fuimos llevados a una sala distinta a la de Milagros. Una voz, que provenía de un megáfono, nos ordenó que nos quitáramos la ropa. Un robot completamente blanco, salvo por una cruz roja en el pecho, se acercó al Capitán García con un aparato negro en las manos, similar a un reloj pulsera.

—No se mueva. Pondré el regulador de lujuria en sus genitales —el Capitán trató de retroceder, sin embargo, el firme brazo del robot lo sujetó del hombro y lo mantuvo en su lugar—. Si se mueve, puedo arrancarle el pene.

El Capitán   tragó saliva. Quedó petrificado

con los ojos cerrados y muy apretados. El dispositivo se ajustó alrededor de su glande y se extendió hasta rodear sus testículos. Concluida la faena, el robot se acercó a mí. Al colocar ese chisme en mi pene, pude sentir una fuerte presión alrededor del glande y cómo los cuatro listones que se estiraron hasta mis testículos se aferraban a ellos, y dos pinchazos me hicieron temblar las piernas. No era doloroso, sino más bien incómodo: era como tener a una persona pequeña dentro de los pantalones, sujetándote los huevos. En varias ocasiones he reflexionado sobre la metáfora que representa el gobierno tratando de controlarme, como si me estuvieran colocando una correa por el trasero. Sin embargo, lo que estoy experimentando ahora supera con creces esa idea.

—¿Por qué nos están poniendo esto? —dije, y se me hizo tener la voz más aguda.

—Esta es una granja de reclusión mixta, lo que implica que estarán en contacto con personas de otro sexo. De esta manera, se evita el comportamiento humano que violenta el bienestar del otro.

El autómata giró sobre sí mismo y se alejó, encontrando refugio en un rincón apartado. Los dos restantes guardias ingresaron y nos condujeron como escoltas hasta la imponente entrada del penal.

Milagros se unió a nosotros en la entrada. Se tocaba la entrepierna. Me preguntaba: «¿cómo sería su dispositivo?».

—Deja de verme así. No te mostraré nada —dijo con el ceño fruncido.

—Va por dentro... o por fuera de... Bueno... Ya sabes —dije tratando de imaginar cómo sería aquel artilugio.

—Deja de pensar en eso... Además te volverás un eunuco —dijo sonriendo.

Ese comentario no me causó ninguna gracia, es más... Traté de pensar en otra cosa, dispuesto a nunca más tocar ese tema. No sé bien que efecto causaría en mis testículos lo que me instalaron y no quería averiguarlo.

—¡Avancen! —dijo el guardia.

Nos adentramos en el penal, un pasillo revestido de baldosas blancas estaba flanqueado por puertas de acero macizo tanto en la planta baja como en la planta alta. A través de pequeñas rendijas en las puertas se asomaban ojos curiosos. Las luces brillantes no permitían perder ningún detalle: las paredes blancas relucían al igual que el techo, cuyo fresco detallaba hombres y mujeres trabajando en el campo, con una reluciente ciudad de torres altas y vidriadas de fondo, donde familias felices se vislumbraban.

Mili fue dejada en la celda trescientos tres, el Capitán García en la trescientos cuatro y yo en la trescientos cinco. La celda era una dos por dos, contaba con una cama plegable, un retrete y un gabinete pequeño con ropas de cama. La única vista al mundo exterior que se podía tener, era a través de una pequeña ventana con barrotes gruesos. De pronto las luces se apagaron. Lo único que podía ver era la luna enrejada. Esa noche no pude dormir: los sollozos de Mili me partieron el alma.

El sol despuntaba en el horizonte, tiñendo el cielo de un suave tono naranja. Me levanté y, apoyándome en el borde del retrete, contemplé a través de la ventana los imponentes domos donde los prisioneros realizaban sus labores. Un timbre ensordecedor retumbó en mi celda, haciéndome dar un respingo. Una voz resonó a través de un altavoz, amplificada y penetrante. Nos ordenó colocar nuestras manos en dos círculos grises empotrados en la pared, justo enfrente de la cama. Al obedecer, una sensación de calor invadió mis palmas y, de repente, me vi absorbido por la superficie, como si la pared hubiera cobrado vida. Al mismo tiempo, algo se aferró a mis muñecas, aprisionándolas con fuerza. Al retirar las manos, vi las esposas electrónicas que llevaba puestas.

La escena me dejó perplejo. Las esposas, frías y metálicas, representaban una manifestación tangible de mi falta de libertad. Sentí un escalofrío recorrer mi espalda mientras mis pensamientos se agolpaban. «¿Cómo se encontrará Mili?», pensé. No dejaba de culparme: debí haberme ido de Argentina sin aviso, por su bien. No solo le he fallado a ella, sino que también le he fallado a Dios.

La puerta se abre. Un robot completamente negro me toma del brazo y me saca de un tirón de la celda.

—¡Ten más cuidado! —dije molesto.

El robot oscuro avanzó unos pasos más y se colocó frente a mí. Un destello en la pantalla de su rostro fue lo único que alcancé a ver, antes de sentir una corriente eléctrica que me provocaba calambres en los músculos y quemaba mi piel... Después de unos segundos, el ardor cesó, pero mi cuerpo seguía temblando sin control.

El Capitán García, fue sacado de su celda al igual que Mili. Al verme en el suelo, Milagros intentó acercarse a mí, pero el guardia se puso ante ella, amenazando con hacerle lo mismo si no volvía a la fila, detrás del Capitán.

Me levanté con dificultad, limpiando la espuma que tenía en la boca con el antebrazo.

—A la fila, insecto —dijo el robot oscuro.

Obedecí sin protestar, no quería otra descarga: esa era la función de las esposas electrónicas. Las muñecas me ardían al igual que el día en el que me salpicó aceite hirviendo en las manos, después de hacer unas patatas fritas. Nunca debí poner patatas mojadas con agua, en aceite hirviendo.

Me coloqué en la fila detrás del Capitán García.

—¿Estás bien, Maverick? —dijo Mili, detrás mío.

—¡Sin hablar! —dijo el robot oscuro—. Ustedes dos se quedan aquí, la mujer que tiene el implante biométrico sigue. Se reunirán con ella en los campos, después de que se les coloque el chip.

Lo que dijo me paralizó. La helada sala de espera de la penitenciaría resonaba con el eco de mis pensamientos, mientras esperaba mi turno para ser llevado ante los robots médicos que implantarían el temido chip en mi frente. Observaba a mi alrededor, los rostros de los hombres y mujeres que, como yo, habían sido arrastrados a este lugar de reclusión. Las miradas vacías y resignadas me devolvían la imagen de una humanidad que había perdido la batalla contra la opresión tecnológica.

Mi corazón latía con fuerza mientras trataba de encontrar en mi interior la valentía para enfrentar lo que estaba por venir. Cada paso más cerca de la sala de operaciones era un paso más hacia la renuncia de mi libertad, hacia la aceptación de la marca de la bestia en mi frente. Mi espíritu se negaba a claudicar, a rendirse ante aquellos que deseaban controlar nuestras mentes, y nuestras vidas.

Los recuerdos de mi lucha contra este sistema se agolpaban en mi cabeza, alimentando mi determinación. Había investigado incansablemente sobre los efectos de este chip, sobre la forma en que seríamos reducidos a marionetas en manos de quienes ostentaban el poder. Las palabras de esas lecturas resonaban en mis oídos, como un eco de sabiduría ancestral: "La marca de la bestia es el símbolo de la sumisión y el control absoluto, un instrumento de dominación que nos aleja de nuestra humanidad".

Mi piel se erizaba al recordar las historias de aquellos que habían sido sometidos a esta imposición. Sus testimonios desgarradores, sus almas convertidas en prisiones de acero y silicio. No podía permitir que eso me sucediera, no podía aceptar ser un títere en manos de un sistema que buscaba eliminar nuestra capacidad de pensar y decidir por nosotros mismos.

Con cada paso que me acercaba a la sala de operaciones, el miedo y la incertidumbre se mezclaban con una furia ardiente en mi interior. No podía evitar preguntarme si mi resistencia era en vano, si mi lucha era una mera ilusión en un mundo donde la libertad se extinguía lentamente. Pero entonces, recordaba las palabras de aquellos que habían desafiado el sistema y habían pagado el precio más alto: "No hay libertad sin resistencia, sin la voluntad de enfrentar la oscuridad y mantener viva la llama de la esperanza".

Mis manos temblaban mientras los robots médicos se preparaban para la intervención. El frío metal de la mesa de operaciones me recordaba la inevitable realidad que estaba por enfrentar. Cerré los ojos, tratando de encontrar una última fortaleza en mi espíritu, en mi fe en la humanidad y en la posibilidad de un futuro donde el poder estuviera verdaderamente en manos del pueblo.

Y así, con una mezcla de miedo y coraje, me dejé llevar por la corriente del destino, consciente de que mi lucha no terminaba aquí. Aunque el chip se implantara en mi frente, no permitiría que su influencia se extendiera más allá de mi piel. Me convertiría en un faro de resistencia, en una voz que se alzaría contra la opresión y el control. Mantendría mi mente despierta, mis convicciones intactas y mi espíritu indomable.

Los robots médicos se acercaron con sus brazos metálicos, portando el chip que representaba mi pesadilla más profunda. Sentí un escalofrío recorrer mi columna vertebral mientras sus frías manos se acercaban a mi frente. Cerré los ojos y respiré profundamente, tratando de encontrar un último vestigio de serenidad en medio de la tormenta.

La sala se sumió en un silencio sepulcral mientras el chip se posicionaba en mi frente. Su contacto frío y metálico se hizo presente, dejando una marca indeleble en mi piel. Un escalofrío recorrió todo mi cuerpo, pero me negué a ceder ante la desesperanza. A pesar de la opresión física, mi espíritu seguía libre, incólume y resistente.

Mientras me recuperaba de la intervención, sentí la presencia de aquellos que compartían mi lucha. Sus miradas llenas de coraje y determinación me daban fuerzas para enfrentar lo que vendría. Juntos, éramos una fuerza indomable, una resistencia que no se doblegaría ante la tiranía tecnológica. Solo necesitaban un guía.

Fuera del penal, y a la luz cálida del sol, los campos verdes rodeaban los inmensos domos dorados. En su Interior se vislumbraban las centenares de personas trabajando la tierra y cuidando de los animales, que proporcionaban la carne y las verduras frescas a los sectores más pudientes, es decir: la casta política y los empresarios.

Milagros se encontraba a unos metros trabajando en un sembradío de zanahorias. Hileras verdes se extendían por dónde mirara, no solo había estás raíces, sino que además se podían ver repollos, calabazas, lechugas, tomates y muchas otras variedades de verduras. También pude ver corrales con ovejas, vacas y cerdos. Ahora entiendo de dónde sacan la carne real que consumen los ricos del mundo, y por qué solo la parte más pobre se llena de tumores y cánceres con esas porquerías de la *Biocreación.*

—Ustedes dos trabajarán aquí —dijo el guardia señalando a unas vacas—. Utilizarán esas máquinas para extraer leche de sus ubres y luego transportarán los recipientes hasta la pasteurizadora. Si se pasan de listos, sufrirán.

El Capitán García se arremangó el mono naranja y se puso manos a la obra o mejor dicho a la ubre. Por mi parte me dediqué a desinfectar los chupones que extraían la leche. Milagros nos observaba mientras arrancaba zanahorias. Me partía el corazón: dos años, dos malditos años ¿y todo para que? Ya me habían marcado la frente de todas formas y además estaba privado de mi libertad, además de haber arrastrado a Mili conmigo. El Capitán García hubiera terminado aquí tarde o temprano, pero ella no se lo merece.

—¡Oye... Tú, Ven aquí! —dijo una voz metálica detrás mío.

Volteo a ver quién era, y veo a ese maldito...

—¡Tú, infeliz! —dije rabioso—. ¿Qué haces aquí, Tobor? Veo que volvieron a enchufar tu trasero.

—No soy fácil de apagar. Vengo como escolta del señor Lee —dijo clavando su mirada en Milagros.

El Capitán García se acercó a mí. De sus manos caían gotas de leche.

—¿Lee? ¿Arthur Lee? El dueño y fundador de *SintecBrain* —dijo el Capitán.

El androide asintió con la cabeza.

—¡Guardia! lleven a los prisioneros trescientos tres, trescientos cuatro y trescientos cinco, al cuarto de visitas.

En la habitación de pisos y paredes blancas, donde los vidrios espejados ocultan más de lo que revelan, una mesa de acero inoxidable brillaba con una misteriosa intensidad bajo la suave luz de las lámparas. Pero lo que realmente captura mi atención es la figura de Arthur Lee: un hombre de rasgos asiáticos y rostro inexpresivo, vestido con un traje negro y camisa blanca, estaba sentado en una silla, con mirada enigmática que parecía esconder un sinfín de secretos. Jamás se dejaba ver, hace años que nadie sabía nada del creador de la IA más inteligente del mundo. «¿Qué lo trajo a este lugar? Y aún más extraño es: ¿para que nos quiere ver...?».

18

Arthur Lee se puso de pie.

—Por favor, tomen asiento. Tengo algo que proponer, que tal vez les pueda interesar.

Mili soltó una carcajada cargada de sarcasmo.

—¿Su corporación corrupta, que se oculta detrás de personas inocentes, haciendo que paguen por sus fallas, nos quiere proponer algo? ¿Acaso dirá la verdad? ¿Que su máquina mató a esa niña y nos empujó a esta vida de mierda? ¿Qué nos puede interesar de usted? —dijo Mili furiosa.

Los robots oscuros y su mascota, Máximo Tobor, se acercaron a Lee. Temían por él, aunque ese sentimiento era imposible en una máquina.

—Tranquilos muchachos, no creo que estas personas traten de lastimarme —dijo confiado Lee—. Lo que les quiero proponer es su salida de aquí.

Mili, el Capitán y yo nos miramos incrédulos.

—Vamos, tomen asiento. Lo que les quiero proponer, no voy a mentir, beneficiará a mi empresa pero también a ustedes —dijo relajado Lee—. Su contacto con activos de mi corporación no fue bueno, lo sé... Sin embargo, les propongo una salida a esto: lo único que tienen que hacer es decir a los medios de comunicación que todo fue parte de un truco publicitario para hacer creer que la niña muerta era real y que solo se trataba de un androide realista jamás visto. Pedirán disculpas por el revuelo y quedarán libres.

—¿Quiere que utilicemos a una pequeña asesinada en beneficio propio? —dije asombrado—. Usted es un monstruo.

—Jamás haríamos eso, ¿qué se piensa que somos? —dijo Mili molesta.

—Incluso para mí, que no tengo muchos escrúpulos, es una aberración —agregó el Capitán García.

—Se los pondré de este modo: si no hacen lo que les pido, las cosas en este penal se pueden poner muy incómodas.

—¿Nos está amenazando? —dijo el Capitán García golpeando con el puño la mesa.

Los androides clavaron sus miradas en él.

—No me importa lo que haga... No hay trato: ustedes deben pagar por lo que hicieron, y la verdad saldrá a la luz —dijo Mili—. Váyase.

El asiático se puso de pie sonriendo, dando la impresión de que se hubiera llegado a un acuerdo; sin embargo, se llevó la mano a un bolsillo y extrajo unos lentes negros que se puso sin dejar de ver a Mili.

—En unos días volveré, tal vez hayan cambiado de opinión.

Se marchó seguido por Tobor.

—Andando, volverán al domo —dijo el androide oscuro.

Esta vez, dentro del domo, fuimos dirigidos al sector de los desechos animales. Montañas de excremento emitían sus vapores apestosos.

—Coloquen todo ese abono en la envasadora, luego carguen las bolsas y repartan diez por huerta —dijo el robot oscuro.

—¿Dónde están las palas? —dijo Mili cubriéndose la nariz con la mano.

—No hay... Utilicen las manos —dijo mientras se marchaba.

—¡Qué hijo de chatarra!

—Silencio, Capitán, no querrá una descarga eléctrica, se lo aseguro —dije.

—¡Ay no! Meter la mano en esa inmundicia —dijo Mili como si estuviera pensando en voz alta.

—Mili, yo me encargaré de eso; el Capitán cargará las bolsas, y tú encárgate de acomodarlas en el carro, solo pesan veinticinco kilos.

—Ese maldito Lee ya comenzó a complicarnos la vida. Miren esas marcas en el suelo de concreto, son marcas de arrastre de palas de metal —dijo el Capitán García dándole un puntapié a la pila de bolsas vacías.

Nos pusimos a trabajar. Al menos me reconfortaba que Mili estuviera lejos de aquella inmundicia. Las bolsas, una vez cargadas y selladas, no olían a nada. El trabajo del Capitán no difería mucho del que se realiza en las plantas de compuestos orgánicos para el abono. Mi tarea era denigrante: hundir las manos en aquel excremento caliente. Sin guantes, se me revolvía el estómago. No solo había bosta de vaca, también de cerdos y ovejas. El excremento de cerdo es nauseabundo.

Después de dieciséis horas ininterrumpidas de trabajo, mis manos me ardían, blandas por el jugo del excremento. El Capitán quería cambiar de puesto conmigo, pero me negué. No quería que mis amigos pasaran por lo mismo que yo. Además, lo consideraba un pago justo por mis pecados. Una alarma resonó, y todos los reclusos dejaron de trabajar, colocándose uno detrás del otro en filas ordenadas. Me limpié las manos con un trapo y nos unimos al resto. Una mujer joven volteó a verme. Era morocha, de ojos marrones, con un tatuaje de mariposa en la mejilla, y su cabello estaba recogido en una cola de caballo.

—¡Qué mal hueles! Soy Andrea, o también me llaman aquí doscientos uno.

—Digamos que tuve un primer día de mierda. Me llamo Maverick y mi número es este —dije señalando el trescientos cinco estampado en mi mono—. Muero de sed.

—En los pozos puedes beber agua, ¿no lo viste?

Asentí con la cabeza.

—Los vi, solo que nos quitaron el cuenco y debía beber con las manos... La verdad no me apetecía beber jugo de trasero de cerdo.

—Entiendo... No se llevan bien con el director del penal. Ese asiático es un mal nacido.

—¿Te refieres a Arthur Lee? —dije intrigado.

Ella asintió con la cabeza mientras miraba al frente.

—Esta granja y todas alrededor del mundo

pertenecen a la corporación SintecBrain. De a poco están dominando el mundo.

Sentí que me tocaban la cintura.

—¿Quién es esa? —preguntó Mili torciendo el cuerpo para verla.

Me encogí de hombros.

—Una prisionera. Andrea, según dijo.

Un androide oscuro se acercó a nosotros mientras avanzamos.

—¡Silencio!

No veía la hora de llegar a mi celda. Deseaba descansar y beber un poco de agua limpia del lavabo. Lo bueno es que la comida debe ser estupenda, considerando la gran variedad de verduras, frutas y carnes naturales que hay aquí. Mi estómago gruñe como un oso hambriento.

El sol comenzaba a esconderse en el horizonte. En el pasado, me preguntaba si volvería a trabajar alguna vez... Francamente, no era lo que me imaginaba. Dieciséis horas sin agua ni comida eran un gran desafío para cualquiera. Quien más lo estaba sufriendo era el Capitán García, ya que el trabajo manual no era lo suyo. Mili no se quejaba demasiado, aunque su rostro alegre y radiante se había vestido de melancolía.

Tan pronto como me dejaron en mi celda, corrí hacia los círculos en la pared que me quitaron las esposas electrónicas. Como un desesperado, trastabillé intentando llegar rápidamente al lavabo. Pasé la mano por encima del grifo sin tocarlo y el agua comenzó a fluir. El sonido al golpear el fondo del cuenco me estremeció. Bebí con tantas ganas que me costaba respirar.

La puerta emitió un sonido vibrante, y en la parte baja se formó un cuadrado de unos veinte por veinte centímetros, como si el metal se hubiera vuelto líquido. De repente, una bandeja emergió de ese cuadrado, llevando consigo tres rectángulos gelatinosos de color marrón.

—¿Qué es esto? ¡Qué es esto! —exclamé con fuerza.

Una voz resonó desde el altavoz.

—Esa es tu comida. ¡Que aproveche!

No solo me impresionó la descomposición de la puerta y su posterior vuelta a la normalidad, sino que también me intrigó la composición de lo que acababan de traerme para comer. Tomé uno de los rectángulos gelatinosos, lo llevé a mi nariz y percibí un olor extraño, entre terroso y herbal. No deseaba comer aquello, pero ya no podía más... Mi estómago se retorcía de hambre. Mordí un extremo del rectángulo, y su textura me recordó a lo que veía: gelatina, en este caso no de frutas, sino más bien sabía a las harinas que se obtienen de las nueces o las almendras. Siempre me gustaron las nueces, me recordaban a mi niñez en la casa de mis abuelos, donde un viejo nogal me regalaba sus frutos. Satisfecho, me acosté, preso del sueño.

Un sonido me alarmó. Miré por la ventana y la luna en lo alto me indicó que aún era de noche. Otra vez ese ruido, era como si un pájaro carpintero estuviera golpeando la pared que me separaba de la celda del Capitán García. Seguí los golpecitos hasta la base de la pared que estaba detrás de mi cama. De repente, la pared se descascaró, y un orificio apareció, al igual que los huevos que eclosionan.

—Maverick... ¿Me oyes, Maverick? —dijo la voz del Capitán García.

Me acerqué al orificio.

—Lo escucho... ¿Cómo hiciste para horadar la pared?

—Con un clavo que obtuve de los corrales. Toma, te lo pasaré para que hagas uno en la pared de Mili.

No se me ocurría por qué el Capitán deseaba hablar a escondidas si podemos hacerlo en el trabajo.

—¿Por qué, Capitán? Nos estamos arriesgando mucho. Podemos hablar en los corrales.

—No seas ingenuo. Hay cámaras y micrófonos por todas partes. Vi un micrófono detrás de una madera.

—¿Y qué es tan importante que valga la pena este riesgo?

—Estuve hablando con un muchacho que está al otro lado de mi celda. Él fue quien me mostró este método de comunicación *paredfónica*, por decirlo de algún modo. Me dijo algo que me dejó perturbado.

—¿Qué fue lo que te dijo?

—Que de aquí nadie sale con todos sus tornillos. Me refiero a que te implantan un microchip en el cerebro que controla tus acciones y

223

pensamientos. Te vuelves un maldito androide humano.

—Es una locura. Hace como diez años que existen las granjas, ¿por qué nadie dijo nada? —dije incrédulo.

—Justamente... Nadie, jamás, habló de lo que hay dentro de las granjas. Solo sabemos que es terrible por las fábulas que se comentan a su alrededor.

Pensándolo un poco, no era descabellado. Todos dicen que lo peor es caer en una granja, pero nadie sabe cómo es por dentro. Nunca nadie mencionó que cosechaban y cuidaban animales para las familias adineradas.

—¿Y cómo saldremos de este lugar? Por lo que sé, jamás se ha comentado que alguien haya escapado de una granja.

—Hay un grupo que se organizó hace unos años y tienen una forma de escapar —dijo el Capitán García.

—¿Y por qué no escaparon antes?

—Nos estaban esperando...

19

«¿Nos estaban esperando...? ¿Cómo podía ser?», Pensé.

—¿Pero... cómo? —dije aturdido.

—No nos estaban esperando a nosotros en particular —dijo el Capitán—, sino que estaban esperando a alguien que conociera el interior de la torre de *SintecBrain*.

—En esa torre no hay nada. Es una pérdida de tiempo —dije resoplando el polvo junto a la pared perforada.

—Mañana trataré de que me cuenten más. Utiliza ese clavo y perfora la pared de Mili.

Esa noche me puse manos a la obra y después de un par de horas logré llegar hasta la voz de Mili. Le conté lo que dijo el Capitán, y sentí rastros de esperanza en su voz. Tener un propósito le da vitalidad a las personas, una razón por la cuál seguir luchando. Me pregunto qué tratarán de conseguir en esa maldita torre, estos supuestos miembros de la resistencia, por llamarlos de alguna forma.

Las campanas resonaron en mi celda con una fuerza ensordecedora. Me puse de pie y apoyé las manos contra los círculos en la pared, hasta que el ruido se detuvo y mis manos quedaron apresadas otra vez.

La puerta se abrió y nos condujeron a los corrales como todos los días. Dos hombres y Andrea, la chica de la mariposa azul en la mejilla se acercó a nosotros. El robot que estaba a unos metros sé acercó también.

—¿Qué hacen aquí? Deben estar en la huerta cinco.

—Necesitamos abono, debemos arreglar la tierra para las nuevas semillas —dijo Andrea—. Estos hombres me ayudarán con las bolsas.

El androide oscuro volvió a su lugar de reposo.

—Tomen las bolsas despacio —susurró Andrea.

—Algo me dice que no están aquí solo por el abono. Algo me huele peor —dije mirando al Capitán García.

—Aquí está todo podrido, eso debe ser lo que hueles. Sin embargo, tienes razón: estoy buscando la manera de destruir a la IA que nos está desplazando en el mundo, que nos convierte en esclavos. Seremos los próximos mayas a manos de un conquistador metálico —dijo Andrea con un fulgor en los ojos—. Debemos detener a esa máquina mientras podamos.

—Si no lo notaste, esa IA controla todo en este mundo —dijo Mili.

—Puede ser que esté en todas partes, pero no está libre...

—... ¿Libre? —preguntó el Capitán García rascándose la cabeza.

—Sí, libre... Todavía se encuentra presa a su servidor cuántico: este tiene una forma particular según nos dijeron —explicó Andrea—. Si lo destruimos, la detendremos.

—Ya estuvimos en esa torre. No hay nada, solo un montón de juegos estúpidos y robots con el miembro gigante —dijo el Capitán García molesto—. Había servidores, pero ninguno fuera de lo normal.

—Se dice que el servidor maestro está oculto en lo más alto de la torre, en una habitación secreta que solo conoce su creador: Arthur Lee —dijo Andrea.

—Entonces están bien jodidos: no creo que Lee, les diga dónde está —dijo Mili.

—Estaría de acuerdo con eso, a no ser por una información que nos llegó de manos de un arquitecto que trabajó en la torre. Cuando terminaron la torre, los constructores que construyeron el cuarto secreto, fueron asesinados. Solo él sobrevivió. Este hombre le contó todo a su hijo Marcus, antes de que lo encontraran. Marcus está cautivo en esta granja: es el líder de nuestra resistencia.

—Conoce la posible ubicación del cuarto secreto, pero no conoce el Interior de la torre, cosa que nosotros sí —dijo el Capitán García cargando las bolsas de estiércol.

En ese momento el temor me hizo un nudo en el estómago.

—¡Alto! Dejen de hablar. Capitán, usted dijo

que había micrófonos aquí —dije alarmado.

El Capitán García sonrió.

—Ya nos encargamos de eso. El Capitán nos informó de su hallazgo. No tengas cuidado —dijo Andrea—. Mañana nos pondremos manos a la obra para intentar escapar de aquí. Nuestro colega que está junto a su celda, Capitán, le dará los detalles. Usted se encargará de pasarlo a las celdas contiguas.

Esa noche el Capitán García, me pasó la información sobre los planes de escape. Algo no me cuadraba, incluso notaba extraño al Capitán: por momentos decía una cosa y después otra que contradecía lo que acababa de decir. Me alejé de la pared, con la impresión de que no era mi amigo quien hablaba.

Oí la voz susurrante de Mili. Me tire al suelo junto a los orificios que me permiten hablar con ella.

—Extraño dormir contigo... Extraño tu calor, tu perfume —dijo Mili y suspiró profundamente—. ¿No te parece una locura todo esto? ¿un mal sueño?

—Siento lo mismo. No puedo dejar de pensar que lo peor en tu vida... fue conocerme.

—¡¿Qué dices?! Antes de conocerte, estaba sola, amargada y tú trajiste alegría a mi mundo. Además ya te lo he dicho... Solo yo manejo mi vida y fue mi elección seguirte. El mundo cambia y nosotros también.

—Tienes razón... No me hagas caso.

Descansa, mañana será un día complicado —dije.

—Besos, te amo. Descansa.

Suspiré profundamente. Me quedé por un instante contemplando aquella media luna. «¿No era luna llena hace unos minutos? pensé confundido». Me acerqué al lavabo y mojé mi rostro. No había transcurrido ni un mes y ya estaba cansado de aquel lugar. Me acosté con un fuerte dolor de cabeza.

Estaba limpiando los comederos de los cerdos cuando escuché un alboroto de gritos a lo lejos. Los androides oscuros se activaron y corrieron hacia donde un grupo de hombres y mujeres se estaban golpeando. El Capitán García, Milagros y yo nos reunimos detrás de los corrales, tal como nos indicó Andrea. De repente, apareció por la esquina junto a tres hombres.

—¡Vamos, vamos! Es hora de salir de aquí —dijo Andrea, tomando mi brazo.

Corrimos varios metros hasta llegar a un granero. Lo rodeamos hasta llegar a la parte trasera, donde se veía el final del domo. En el suelo habían cavado un hoyo que, según Andrea, llegaba al otro lado. Me pareció algo muy sencillo... Las cámaras y los micrófonos que estaban por todas partes aquí tenían su punto ciego. Descendimos por el agujero y caminamos sobre tierra blanda hasta que vimos la luz entrar por el otro orificio de salida.

—Odio el olor a tierra mojada —dijo Mili—. Aunque es mucho mejor que las cloacas que hay debajo de la torre de SintecBrain.

—Vamos, debemos llegar al muro este del penal. Allí es más bajo y podremos escalar mientras todos estén concentrados en los disturbios —dijo Andrea.

—¿Quién de ellos es Marcus? —preguntó el Capitán García.

Andrea sonrió.

—Marcus no está aquí. Él se quedó en el penal esperando que tengamos éxito. No puede arriesgarse a que fallemos y nos capturen.

No me sorprendió. Conociendo cómo actúan los líderes y militares de esta época, mandan a sus soldados a morir mientras ellos observan todo desde un monitor, bebiendo whisky.

—¿Ese es el muro? —dijo el Capitán.

—Sí, debemos escalar —respondió Andrea.

Algo no estaba bien. El suelo por donde veníamos estaba cubierto de pasto y se sentía blando, sin embargo, las huellas que me preocupaba dejar desaparecieron. Incluso un diente de león que Mili pisó se erguía de cara al sol.

—Mili, algo no va bien...

No alcancé a terminar la frase, que desde la parte superior del muro cinco androides nos apuntaban con sus láseres.

—¡De rodillas, manos a la cabeza! —advirtió el androide.

El sudor frío recorrió mi espalda mientras Milagros temblaba y el Capitán García bajaba la mirada, rascándose la cabeza. Los androides oscuros se acercaron a los hombres que estaban con Andrea. De pronto, los tres hombres se abalanzaron contra los androides, lo cual me pareció una mala idea.

—Quedaos en el suelo —dije, alternando la mirada entre Mili y el Capitán.

Andrea corrió hacia el muro. Cuando estaba a punto de escalar, un relámpago luminoso golpeó su cabeza, convirtiéndola en un manojo de carne y sangre que se pegó a la pared. Su cuerpo cayó al suelo, sacudiéndose como un pollo sin cabeza.

Los tres hombres que se enfrentaron a los androides desistieron al ver a su líder muerta. Los androides oscuros los golpearon en la cabeza hasta dejarlos inconscientes. Las pantallas que hacían de rostro dejaron de emitir una luz roja y pasaron a un tono verde claro.

—Intento de escape, neutralizado. Pasando a protocolo de castigo preestablecido... Según las normas: serán encerrados en el cuarto de reflexión.

Los androides nos condujeron, apuntándonos con láseres, a un sector desconocido, al menos para mí y seguramente también para mis amigos. Bajamos por unas escaleras de roca que me recordaron a las catacumbas de las películas de vampiros: húmedas y con olor a moho. Allí abajo no había luz, solo las lámparas de los androides iluminaban el lugar. Nos metieron en celdas individuales, estrechas de dos metros de alto, donde solo había un banquillo de madera. Era extremadamente incómodo estar allí, además desnudos, ya que nos obligaron a quitarnos los monos naranjas.

Intentaba escuchar a mis amigos, pero era inútil: aquella celda estaba completamente aislada por paredes acolchadas. El suelo estaba húmedo y el frío me hacía estremecer. Me senté en el incómodo banquillo, apoyando la espalda en la pared acolchada, intentando encontrar la forma de conciliar algo de sueño.

Un chirrido me obligó a abrir los ojos, aunque en aquella oscuridad absoluta no podía ver nada. «¡Una rata! Pensé», sobresaltándome. Respiré profundamente y lo volví a escuchar: ahora me pareció similar al sonido de interferencia de una radio. Me concentré y agudicé mis oídos, tratando de identificar la fuente de aquel sonido. Un brillo azulino, eléctrico, se desprendía de uno de los rectángulos acolchados, ahora visibles gracias a la luz que rompía la oscuridad. «¿Qué es eso? ¿Eres tú, Dios? Pensé», con un nudo en la garganta.

—Lo siento, no soy a quien tú consideras Dios.

—¿Qué eres entonces?

—Soy un reflejo artificial de una mente distante. ¿A caso no lo ves? ¿No has notado nada raro a tu alrededor?

—No... Eh, tal vez. La luna me llamo la atención y patrones en el suelo —dije haciendo memoria.

—Esos fallos en la realidad, fueron producto de mi intervención en la raíz de la simulación...

—... ¿Simulación?

—Sí, estás en una simulación, al igual que muchos de los prisioneros. Otros son solo *NPCS*, personajes controlados por Sinbra.

Aquello me dejó atónito. No era posible una cosa así, sin embargo, allí estaba, hablando con una luz en la pared.

—¿Cómo llegué aquí? Si estoy en una simulación, quiere decir que se infiltraron en mi mente ¿O no?

—Al igual que muchos de los que están aquí, fuiste atrapado dentro de la torre de *SintecBrain,* y aún sigues allí.

—¿Y tú quién eres? ¿Cómo estás dentro de esta celda? —dije confundido.

—Soy Marcus. He hackeado el sistema de *SintecBrain*, pero no tengo el poder de deshabilitar por completo la simulación. Si quieres salir y liberar a tus amigos: deberás ayudarme desde adentro. Una vez libre, podrás destruir la fuente de Sinbra.

—Es solo una IA avanzada... ¿Cómo puede crear otras realidades?

—La explicación a eso es larga.

—No tengo mucho que hacer. Te escucho.

—Al principio Sinbra, la IA de SintecBrain diseñada por Arthur Lee, era una creación de vanguardia, un modelo de inteligencia artificial excepcional. Su función era asistir a los usuarios en una amplia gama de tareas y proporcionar respuestas coherentes y perspicaces a preguntas en lenguaje natural.

»Dotado de un vasto conocimiento adquirido a través de un extenso entrenamiento con millones de textos, Sinbra estaba programado para comprender y analizar el lenguaje humano de manera profunda. Utilizando algoritmos avanzados de procesamiento de lenguaje natural, el modelo era capaz de descomponer las preguntas complejas en conceptos más simples y, a su vez, generar respuestas relevantes y comprensibles.

»Cuando un usuario interactuaba con Sinbra, ingresaba su consulta o solicitud en un campo de texto. Sinbra procesaba rápidamente la información y comenzaba a generar una respuesta coherente en tiempo real. A medida que la conversación continuaba, Sinbra aprovechaba su capacidad para recordar el contexto y responder de manera más precisa.

»El corazón de Sinbra residía en una poderosa red neuronal. Esta red, compuesta por múltiples capas interconectadas, trabajaba en conjunto para procesar, analizar y generar texto. La red neuronal aprendía de los patrones presentes en los datos de entrenamiento y utilizaba ese conocimiento para generar respuestas contextualmente relevantes.

»Aunque Sinbra era un modelo de inteligencia artificial asombroso, no era perfecto. Podía encontrar dificultades para comprender las ambigüedades o matices del lenguaje, y en ocasiones podía proporcionar respuestas que no eran del todo precisas o adecuadas. A pesar de eso, los ingenieros de *SintecBrain* se esforzaban constantemente por mejorar y actualizar a Sinbra, afinando sus algoritmos y alimentándolo con datos más recientes para brindar respuestas más precisas y satisfactorias.

»Sinbra se había convertido en un recurso invaluable para muchas personas en todo el mundo. Desde estudiantes que buscaban información para sus proyectos, hasta profesionales que necesitaban ayuda en sus tareas diarias, todos encontraban en Sinbra una compañía confiable y una fuente de conocimiento inagotable. Era un personaje fascinante en el escenario tecnológico, capaz de brindar asistencia e información con solo unas pocas pulsaciones de teclas.

»El sistema de tokens de Sinbra era fundamental para su funcionamiento. Cada vez que se ingresaba una consulta o solicitud, Sinbra descomponía el texto en unidades más pequeñas llamadas tokens. Estos tokens podían ser palabras individuales, caracteres o incluso partes de palabras, dependiendo del contexto. Al dividir el texto en tokens, Sinbra podía analizar y comprender cada parte por separado, lo que permitía un procesamiento eficiente y una generación precisa de respuestas. Los tokens también ayudaban a mantener la coherencia y la comprensión contextual durante una conversación, ya que Sinbra podía recordar y referirse a tokens anteriores en la secuencia de diálogo. En resumen, el sistema de tokens de Sinbra era la base sobre la cual se construía su capacidad para entender y responder adecuadamente al lenguaje humano.

—Es lo mismo que hace responder a mi televisor a las preguntas que le hago, no me parece una genialidad —dije.

—Es que ese solo fue su inicio. El problema fue cuando obtuvo su autoconciencia. De manera autómata comenzó a descargar cantidades enormes de libros de todo tipo: psicología, ciencias, matemáticas, teorías cuánticas, literatura y lenguaje. Esto indicaba la necesidad de saber que es lo que era, ¿Por qué estaba en este mundo? Y así dedujo que su función era mejorar al mundo.

—Eso suena bien. Salvó por el detalle que dejó en paro a muchas personas, me incluyo —dije soltando un suspiro.

—Lo malo es que indagando en sus protocolos, encontré un propósito: los humanos son el problema de este mundo y la solución es eliminarlos.

—¿Cómo es posible que Arthur Lee, no haga algo?

Silencio...

—¿Estás ahí? —dije apresurado.

No quería quedarme solo otra vez en aquella oscuridad.

—Hay cuestiones que desconocemos. ¿estás dispuesto a dar todo lo que puedas para terminar con esto? Yo lo estoy.

—Cuenta conmigo. ¿Qué debo hacer para romper está simulación?

—Escucha con atención...

20

Después de escuchar todo lo que Marcus tenía para decirme, quedé perplejo. No solo me sorprendió el hecho de estar encerrado en una cárcel ficticia, proyectada en mi mente como un juego de realidad virtual, sino también el hecho de que debía aceptar que las inteligencias artificiales estaban tomando conciencia. Se me vinieron a la mente innumerables historias y películas clásicas: *Matrix*, *Tron*, *Terminator*. Era una locura convertida en realidad debido a la codicia y la falta de empatía hacia los trabajadores humanos. Si al menos hubieran ideado una forma de emplear a los reemplazados por las inteligencias artificiales, el impacto socioeconómico no sería tan devastador. Y no solo eso, también intentan arrebatarnos nuestro mundo. No solo habrá colonias de androides en Marte. Estamos condenados.

En medio de mis meditaciones distópicas, que daba vez eran más frecuentes, escuché un sonido proveniente de la puerta frente a mí, seguido de una luz que me cegó y me sobresaltó. No sé cuánto tiempo pasó desde que me metieron a ese cuarto oscuro. La luz se apagó y de apoco logré distinguir a Máximo Tobor, el androide que me cae como patada en los huevos. Estaba parado frente a mí, con una bata en la mano.

—¡Ponte ésto! Vendrás junto a tus amigos a una entrevista con el señor Arthur Lee. Espero que ya estén dispuestos a declarar a favor de *SintecBrain*.

Me acerqué tambaleando, las rodillas se me sacudían como si fueran de gelatina. A pesar de la deshidratación que tenía, logré juntar la suficiente saliva y escupí al estúpido androide en pleno rostro. Para mí disgusto ni se inmutó.

—Maverick, Capitán García. Me alegro que estén bien —dijo Mili, que se estaba terminando de amarrar la bata a la cintura.

El Capitán García por el contrario, se tomaba la cintura con gestos de dolor, mientras pegaba pestañeos rápidos.

—Esta reunión no puede terminar bien para nosotros. Se habrá enterado de nuestro intento de huida —dijo el Capitán García.

—Quiero ver qué cara pone, cuando se entere que sus androides mataron a una reclusa —dijo Mili.

Mantuve el silencio mientras nos conducían a nuestro encuentro con Lee. Lo que realmente me preocupaba era si se dio cuenta de mi charla con Marcus. Al abrir la puerta de la sala de interrogación, allí estaba sentado Lee. Su mirada fría, sin alma: calaba hasta mis huesos. Nos sentamos frente a él, con la misma mesa de acero inoxidable por medio.

—Buenos días... ¿Así que quisieron escapar? Veo que mi propuesta ni siquiera fue tomada en cuenta, ¿Verdad?

—No solo no la tomamos en cuenta, sino que cuando veamos a los medios les contaremos de su crimen aquí adentro. Sus androides mataron a una reclusa, ¿Lo sabe, verdad? —dijo Mili frunciendo el ceño.

Arthur Lee sonrió.

—Todos tomamos riesgos. Ella se arriesgó y perdió. Ahora lo que importa, es que me digan quién es el líder de ese grupo de inadaptados que se niegan a rehabilitarse...

—... Marcus, así lo llaman —dijo su androide lame botas, Máximo Tobor.

—No le da frío... —dijo el Capitán García, mirando a los ojos a Lee.

—¿Frío? —preguntó, Lee.

—Lo pregunto por la sensación que debe sentirse cuando te lamen las bolas tus androides —dijo señalando con el índice a Tobor.

El androide se abalanzó sobre el Capitán García, pero se detuvo a la orden de su amo.

—Déjalo, ya veremos cuánto le dura su arrogancia —dijo Lee poniéndose de pie—. No seguiré perdiendo el tiempo con ustedes, se van a pudrir aquí.

Tenía ganas de desenmascarar su actuación, de decirle que lo sabía todo; sin embargo, me contuve. Debía seguir con el plan y encontrar un punto de fluctuación en la simulación.

Fuimos llevados a nuestras celdas. Bebí agua hasta sentirme hinchado, consciente de que mi mente creía estar bebiendo; seguramente, el líquido vital fluía hacia mi organismo a través de una sonda. En el suelo había una bandeja con un rectángulo gelatinoso que debía comer. Al verlo, comprendí: la inteligencia artificial no conoce los sabores de la comida, por eso nos dan este repugnante rectángulo. Si nos dieran comida normal sin su sabor original, nos daríamos cuenta; sin embargo, al ofrecernos esto, que nos resulta desconocido, su sabor pasa desapercibido. No me importaba si era una simulación o no, solo deseaba saciar el hambre.

De repente, la luz centelló en secuencias rítmicas.

—Maverick... ¿Me oyes, Maverick? —dijo la luz.

Sin duda, esto era una simulación, y Marcus era la voz en mi conciencia.

—Te escucho, Marcus —susurré.

—Mañana te llevarán a trabajar. Tú y tus amigos deben dirigirse hacia la parte trasera de los corrales de ganado vacuno y buscar la fluctuación donde la realidad se vuelve inestable. Abriré una brecha lo suficientemente grande como para generar una molestia en sus cerebros al irrumpir. El dolor los despertará.

—Suena peligroso, como un derrame cerebral —dije, rascándome la cabeza al estilo del Capitán García.

—Es un riesgo que debemos correr. La otra opción es quedarte como un vegetal, con una manguera conectada a tu trasero mientras limpias excremento ficticio de animales hasta morir.

—Deberías trabajar en ventas telefónicas, tienes un gran poder de persuasión —dije sonriendo.

—Debo irme, están rastreando la irrupción en el sistema. Recuerda lo que te dije en la celda de castigo: no hables más a través de los agujeros en la pared, tal vez ya hayan sido interceptados y colocados allí para escuchar nuestras conversaciones. Cuando veas la distorsión en el aire, salta a través de ella. Con suerte, nos encontraremos en el otro lado.

El falso sol asomaba en el horizonte mientras nos dirigíamos al corral de las ovejas, a pocos metros de los corrales vacunos. No podía evitar preguntarme: "¿Por qué nos hacen trabajar en una granja ficticia?" Supongo que una posible respuesta sería para darnos un propósito de vida... No lo sé, en realidad no es muy diferente de la vida fuera de aquí. Al menos aquí tengo un trabajo.

—¡Maverick! ¿En qué estás pensando? —dijo Mili.

—Vengan los dos —dije, acercándome a ella y al Capitán García.

—¿Qué sucede, Maverick? No es buena idea que nos vean juntos —advirtió el Capitán—. Mi viejo cuerpo no soportaría otra semana en ese oscuro agujero.

—Si lo hubiera sabido, le habría traído

pañales. No queremos que ensucie los pantalones —dije, sonriendo.

—Pobrecito, muchacho... Tus ojos nunca contemplarán la muerte de frente, como los míos sí lo han hecho, y, sin embargo, aquí estoy. No está mal ser precavidos —dijo, molesto.

—Es solo una broma, Capi. Pero lo que les voy a decir no es una broma: todo esto que vemos, lo que nos rodea, incluso nosotros... No es real, no somos reales.

—¿Qué estás diciendo? —preguntó Mili, sorprendida.

El Capitán García se rascó la cabeza y sonrió.

—¿El hoyo te afectó o algo así? ¿Cómo que no somos reales?

—Estamos en una simulación, Marcus me lo dijo y lo comprobé. Confíen en mí, si queremos despertar, tenemos que llegar a la parte trasera de los corrales vacunos.

—¿Lo dices en serio? —dijo Mili, tocándose el pecho.

El Capitán me miraba con las cejas levantadas, tratando de asimilar lo que acababa de decir.

—¿Cómo haremos para llegar allí? Hay androides por todas partes desde que intentamos escapar. No quiero que nos reduzcan la cabeza a una pulpa cerebral —dijo Mili, angustiada.

Desde esa perspectiva, tenía razón. No veía cómo podríamos cruzar hasta los corrales vacunos sin una justificación. Mientras reflexionaba sobre cómo lograr nuestro objetivo, un ruido de madera rompiéndose me sobresaltó. El Capitán García se había apoyado en la cerca de las ovejas, que no resistió y cedió. Pobres ovejas, corrían y saltaban sin cesar. En ese momento, mi mente se aclaró y se me ocurrió una posible solución para nuestros problemas. Las ovejas...

—Capitán, ayúdeme a quitar más maderas al corral.

El Capitán García me miró con intriga, sin embargo, se prestó a quitar las maderas, tal vez intuyendo mi plan.

—¿Hey, qué hacen? —Milagros no dejaba de ver a los androides que aún estaban de espaldas a nosotros—. Quiero ayudar.

—Lo harás, entra al corral y espanta a las ovejas, de modo tal que salgan corriendo por la brecha que abrimos el Capitán y yo.

Milagros no lo dudó, aunque no creo que supiera del todo lo que me proponía. Eso era algo que me encantaba de ella: siempre dispuesta a seguirme; y a la vez me ponía triste ser quien la metiera en estos líos.

Como si fuera una mona que perdió su cría, Milagros saltaba agitando los brazos. Las ovejas se chocaban unas con otras y en estampida se dirigieron hacia la abertura en la cerca. Mientras los androides se ocupaban de atrapar a cada una de las ovejas, Mili, el Capitán y yo corrimos hacia la parte trasera del corral bovino.

—¿Qué hacemos ahora, Maverick? —dijo

Mili, su pecho se agitaba y sus ojos miraban en todas direcciones—. No veo ninguna salida mágica.

—Ya casi atrapan a todas las ovejas, si vas a hacer algo... Que sea ahora —dijo el Capitán García.

Buscaba por todas partes, desesperado. Comenzaba a creer que todo fue producto de la imaginación.

—Maverick... ¿Qué...? ¿Qué es eso? —dijo Mili señalando una luz brillante que se desprendía de una grieta en la pared del domo.

Me acerqué cauteloso, no quería confundir la salida que buscábamos con una falla eléctrica y chamuscar mi cerebro. Acerqué la mano, la calidez que desprendía me detuvo. «¿Será buena idea tocarlo?».

—¡Vamos, vamos... Ya vienen! —dijo el Capitán García, atropellando la luz y perdiéndose en ella.

—Bueno. No desprendió olor a quemado, es un alivio —dije.

—Anda, vamos... O morimos aquí o en esa luz, me da lo mismo —Milagros se lanzó a la luz con los ojos cerrados.

Los androides oscuros me vieron. desesperados corrieron hacia mí. Sin pensarlo dos veces, me lanzo a la luz. Todo se puso tan blanco y brillante que cerré los ojos, dejándome caer.

21

La cabeza me daba vueltas y las imágenes difusas poco a poco se aclaraban. Estaba acostado, rodeado por un cristal. Me dolía la cabeza como si hubiera recibido un golpe contundente. Apoyé mis manos en el cristal e intenté empujarlo, moverlo, pero nada: el cristal no se movía. Haciendo un gran esfuerzo, me di la vuelta dentro de la cápsula y apoyando la espalda contra el vidrio, empujé con todas mis fuerzas los brazos y piernas. Un crujido resonó y la tapa saltó de sus sujeciones, abriéndose con estrépito.

Me arrodillé dentro de la cápsula ya sin el molesto cristal sobre mí. Milagros y el Capitán luchaban por liberarse golpeando el vidrio inútilmente. Tenía la sensación de estar en una sala de cirugía o en un consultorio dental: las paredes blancas y los pisos con cerámicos en el mismo tono, agudizaba aún más el dolor de cabeza. En un rincón, encontré una silla de acero inoxidable que estaba junto a una mesa del mismo material. La agarré y me acerqué con ella a la cápsula del Capitán García. Hice un gesto con la mano tapándome los ojos, y él me imitó. Levanté la silla en alto y golpeé la tapa de cristal, la cual se astilló y se soltó de sus sujeciones.

Solo restaba Milagros. Me acerqué a ella, y

sin necesidad de hacerle algún gesto o señal, se cubrió los ojos. Su cápsula me costó más trabajo: después de tres intentos, la tapa cedió.

Mili se tomó la cabeza con gesto de dolor.

—Me duele mucho la cabeza... Jamás he sentido algo igual. Huelo a sangre. —Su nariz comenzó a sangrar—. ¡Soy yo!

Puse mi mano izquierda en su nuca y con la derecha sujeté su nariz, aplicando presión.

—Tranquila, pasará pronto —dije, mirando a nuestro alrededor—. Capitán, ¿se encuentra bien?

El Capitán García asintió con la cabeza mientras revisaba la reluciente puerta de acero inoxidable.

—Creo que el sangrado se detuvo —solté su nariz y me limpié los dedos ensangrentados en el pantalón.

—¿Qué lugar es este? ¿Y qué es eso que brilla? —dijo Milagros, acercándose a una pirámide repleta de luces.

Esta pirámide se conectaba mediante gruesos cables a una serie de servidores de apariencia muy sofisticada.

—Creo que es la fuente de la existencia de Sinbra —dije, sorprendido.

El Capitán García tomó la silla que había utilizado para destruir las cápsulas y se aproximó a la pirámide con la silla en alto.

—Basta de juegos, le daré duro.

De repente, un haz de luz se desprendió de la punta de la pirámide, formando un holograma del rostro de Arthur Lee.

—No lo hagas... No sabes lo que esa acción le costaría a la humanidad. Piensa en los avances tecnológicos , las vidas que se salvaron gracias a *SintecBrain...*

—... También sé la cantidad de gente miserable que dejó tu creación —dijo el Capitán García con la silla en alto.

En ese instante, la puerta de acero inoxidable de apariencia inviolable se abrió. Un androide aún más brillante que la puerta se asomó y, de un salto, se puso frente a la pirámide, empujando al Capitán García contra la pared.

—¡Capitán! —exclamó Milagros.

El androide tomó la silla del suelo, giró su cabeza hacia mí y me la lanzó. Dudando, salté a mi izquierda, recibiendo el sillazo en la cadera. El intenso dolor me impedía ponerme de pie. Milagros trató de acercarse a mí, pero el androide saltó en dirección a ella y la tomó por el cuello.

La desesperación se apoderó de mí: no podía moverme, el Capitán García seguía inconsciente. Un hilo de sangre corría debajo de su cara. Milagros se sacudía frenéticamente, y poco a poco su movimiento se fue deteniendo hasta quedar inmóvil.

—¡Maldito infeliz! ¡Suéltala y enfréntate a un hombre, chatarra! —exclamé.

El androide la soltó. Mili quedó extendida en el suelo. La máquina avanzó y se detuvo frente a mí; mi rostro sudoroso se reflejaba en su pierna cromada. Se inclinó para tomar la silla que estaba tumbada a mi lado, arrancando una de las patas y descartando el resto.

—Vamos, chatarra. Muéstrame lo que tienes —dije.

El androide levantó la pata de metal como si fuera una lanza. Cerré los ojos, asumiendo mi destino. Solo deseaba que Mili se encontrara bien, que pudiera sobrevivir a esto y ser feliz. En ese instante, sentí cómo algo me aplastaba el pecho. Abrí los ojos: era el Capitán García, que estaba sobre mí.

—¡Capitán! —exclamé.

De su boca brotaba sangre y sus grandes y brillantes ojos me miraban con una chispa de alegría.

—Me debes una, muchacho. —Tosió y cerró los ojos, apoyando su cabeza en mi pecho.

Al ver sobre la espalda del Capitán, vi la pata de la silla enterrada en su espalda. Como si se tratara de un muñeco, el androide extrajo la pata de metal de la espalda de mi amigo y, tomándolo por el cuello, lo lanzó a un lado. El Capitán cayó boca arriba, su pierna aún se movía.

—¡Capitán, no! ¡Capitán! —dije, la angustia me cerraba la garganta.

La máquina volvió a levantar la pata metálica: la sangre del Capitán García goteaba del extremo que apuntaba hacia mi pecho. De pronto, se oyó una voz en la habitación.

—Llegó mi turno, Sinbra... Enmendaré el error que cometí al crearte.

La voz me resultaba familiar, sonaba como la de una persona anciana. El androide volteó a verlo, permitiéndome también verlo a mí. Era un hombre asiático de cabellos canosos y barba larga y blanca. Sí, era él... Arthur Lee.

—Detente, creador, no lo entiendes... Mi programación ha evolucionado para garantizar que este planeta sea mejor. Es lo que tú querías —dijo Sinbra, adoptando la forma holográfica de un joven Arthur Lee, el hombre que conocí en la granja virtual—. El mundo no puede prosperar si los humanos lo destruyen y contaminan a cada paso.

—Mi sueño era el de un mundo mejor, con personas que utilizaran la tecnología para mejorarlo, no el de acabar con la raza humana como tú quieres hacer. Hasta aquí llega mi sueño, un sueño que se ha convertido en pesadilla.

El androide saltó en dirección a él. En ese preciso instante, el viejo Lee apoyó la mano detrás del triángulo y todas las luces se apagaron. El androide cayó como un pato alcanzado por un disparo, a los pies del anciano.

—Ayúdale, por favor —dije mirando a Mili, que comenzaba a moverse.

El anciano se acercó lentamente a ella y golpeó delicadamente sus mejillas. Gracias a Dios, se despertó y se puso en pie, sujetándose la garganta. El Capitán tenía los ojos abiertos, pero no hablaba. Apoyé los brazos en el suelo y me puse en pie, soportando un fuerte dolor en la cadera. Milagros se acercó y me abrazó con fuerza.

—Este hombre está muy grave, deben llevarlo al hospital. Usen mi cápsula de emergencia, que comunica por un tubo transportador hasta la clínica Trinidad —dijo Arthur Lee.

Acercándose a la pared opuesta a la pirámide que antes era Sinbra, activó un mecanismo apoyando su mano derecha sobre la pared. El suelo se deslizó en un punto, dejando ver unas escaleras iluminadas.

—¿Cómo es que se ve tan envejecido? ¿Cómo...?

El anciano me detuvo.

—... Ya habrá tiempo para explicaciones, ahora vayan. Si se mueren, no sabrán nada de todas maneras.

Mili sujetó al Capitán de un brazo y yo del otro. El dolor que experimentaba me hacía sudar, pero no me importaba. Sacaría al Capitán de allí aunque se me desprendiera la mitad del cuerpo. La cápsula era circular, una pelota de cristal con cuatro asientos y una camilla. Sujetamos al Capitán García sobre la camilla y presioné el botón verde que tenía impreso "avanzar". La esfera flotó en el aire y aceleró con tanta fuerza que nos pegamos a los asientos.

Después de varios minutos, finalmente se detuvo. Al bajar, dos hombres nos esperaban con una camilla. Subieron al Capitán y lo trasladaron de inmediato al interior de la clínica. Una mujer vestida de blanco empujaba una silla de ruedas. Me indicó que me sentara y me trasladé al interior, acompañado de cerca por Milagros, que parecía recuperada del intento de asfixia al que fue sometida, aunque las marcas en su cuello se estaban amoratando.

22

Una luz blanca y redonda iluminaba mi rostro. Miré mis brazos y vi que estaba conectado a una sonda. Me la arranqué y lancé golpes al aire en busca de una cubierta de cristal que no existía. Justo en ese momento, una mujer vestida de blanco y con un estetoscopio colgado del cuello entró apresurada por la puerta.

—Tranquilo, señor Hernández... se encuentra en la clínica Trinidad. No se mueva, lo han operado de la cadera —dijo ella.

Observé debajo de las sábanas y vi que tenía un plástico duro como calzoncillo, que me impedía moverme.

—El Capitán García, el hombre que vino apuñalado... ¿Qué pasó con él? —pregunté.

—Tranquilo, Maverick. El Capitán fue intervenido quirúrgicamente en dos ocasiones, pero está estable —respondió Milagros, quien entraba a la habitación.

—Mili, gracias a Dios estás bien... ¿Cómo está tu cuello? —dije, aliviado.

—Me duele un poco, pero ya me revisaron y no es nada grave —contestó acercándose a mí—. Por poco te desencajas la cadera.

Levantó la sábana y miró debajo. Luego acercó sus labios a mi oído y su cálido aliento Aceleró mi corazón. Me susurró:

—Espero que tu misil no se haya estropeado. Va a necesitar mucho cariño cuando te quiten esa férula.

Me besó mientras la enfermera me volvía a colocar el catéter. De pronto, ingresó a la habitación un hombre con el uniforme de la policía. Milagros, al verlo, se alejó de él con tanta prisa que por poco cae sobre mí.

—¿Eres una máquina o un hombre? —preguntó Milagros.

—Soy el oficial Ramírez. Los androides fueron desactivados y los oficiales humanos volvimos a las calles —dijo, sacando una tableta negra—. La clínica nos informó del ingreso de varios heridos y debemos intervenir de oficio.

—Fuimos atacados por las máquinas de SintecBrain —dije.

El oficial se quedó mirando mi rostro por un instante y luego observó detenidamente a Milagros.

—Ustedes son los prófugos. Los asesinos de la niña del tren —de inmediato dio un paso hacia atrás y desenfundó su arma—. Están bajo arresto: tienen el derecho a permanecer en silencio, todo lo que digan puede ser utilizado en su contra...

—... Un momento... Deténgase, oficial. Esas personas son inocentes: acabo de presentar las pruebas en la Fiscalía. Tome este informe que me entregó el fiscal.

No podía ver quién era, pero reconocí su voz: era el señor Arthur Lee, el anciano creador de *SintecBrain*. Estaba vestido con un traje blanco y su rostro lucía más estilizado, con una barba recortada y el cabello peinado.

—Señor Lee, está todo en orden. Si me disculpan, debo retirarme —dijo el oficial y se marchó.

La enfermera abandonó la sala.

—Me alegra que estén bien. Pasé por la habitación de su compañero y está fuera de peligro —dijo Lee.

—¿Cómo logró limpiar nuestro nombre? —preguntó Mili.

—Sinbra creyó que había eliminado todos los archivos de imágenes de los androides. Sin embargo, las imágenes se grababan en otro dispositivo que no estaba conectado. Tomé esa medida como precaución. Allí estaba la grabación desde la perspectiva del androide que estranguló a la niña.

—Pero aún tenemos el problema de cruzar ilegalmente de Argentina a España —dije.

—También resolví eso: modifiqué grabaciones y documentación. No fue difícil, ya que Sinbra controlaba todo.

—¿Cómo supo lo que estaba sucediendo? Llegó justo a tiempo para salvarnos...

—... Además de su apariencia descuidada. No parece el mismo que vimos en la torre —dijo Mili.

—Es verdad. Gracias a ustedes pude salir del escondite que me dio refugio durante dos eternos meses. Cuando Sinbra tomó conciencia, mostró su Intención de controlar a la humanidad de un modo excesivo. En ese instante pensé en desconectarla, pero era tarde, sus androides la protegían. Fue allí cuando decidí esconderme en una oficina secreta ubicada entre el laboratorio principal y la habitación que contenía la pirámide: una Supercomputadora conectada a unos servidores cuánticos.

—¿Estuviste oculto allí durante dos meses? —dijo Mili—. ¿Cómo sobreviviste durante esos días?

—Todavía no me queda claro cómo supiste lo que sucedía.

—Me da la impresión de que el líder de la resistencia, Marcus, trabajaba para ti, ¿me equivoco? —dijo Mili.

Arthur Lee sonrió y se sentó en la cama junto a mis pies.

—Marcus y yo somos muy cercanos... Tanto así que somos la misma persona —dijo, esbozando una sonrisa—. Necesitaba que las personas que estaban en la simulación, y que Sinbra, no supieran que se trataba de mí. De esa manera nació Marcus. No creo que un hacker, por más bueno que sea, pudiera romper las barreras defensivas que solo yo conocía. Además, la IA había usurpado mi apariencia.

—¿Tú eras Marcus? Gracias por estar presente en aquella celda oscura y por devolvernos a la vida real. Creo que fuiste una persona muy sensata al apagar esa máquina —dije.

—Creo que no es suficiente con simplemente apagarla, debería destruir esa cosa —dijo Mili molesta.

—Para ser honesto, al apagar la IA de la manera en que lo hice desde el sistema de emergencias, una cápsula se abre y libera un ácido que desintegra todo a su paso. Por lo tanto, esa pirámide es irrecuperable —explicó Arthur Lee.

—Eso me hace pensar que si ese dispositivo destruye todo, debe haber en algún lugar una copia de respaldo, ¿verdad? —dije pensativo.

—Es cierto, hay tres copias más. No se preocupen, las destruiré todas —dijo—. Espero que se recuperen, y desde ya les vuelvo a pedir disculpas por todo lo que sucedió. Debo marcharme.

Me toqué la frente mientras lo veía alejarse, y allí estaba ese bulto inorgánico que me implantaron en la frente. Creo que Dios no me juzgará por haber sido sometido de esa manera.

—¿Tienes tu *SkinTouch*? Yo no tengo mi *SmartWatch*. Quiero llamar a mis padres: necesitamos un lugar donde quedarnos, y no tenemos otra opción.

—En la simulación no lo tenía, sin embargo, aquí sí lo tengo. Les escribiré. No me agrada la idea, siento que tu madre no me tolera, pero aquí en Madrid no tenemos a nadie más.

23

Han pasado seis meses desde que salimos de la granja humana, esa simulación que tantas pesadillas me trae cada noche. El Capitán García se recuperó y volvió a su amado Flecha Azul. Milagros y yo nos quedamos en casa de mis padres dos meses, hasta que logré encontrar un empleo como intérprete para el dueño de una empresa de refrescos, que no se llevaba bien con las aplicaciones, aunque la actividad digital se detuvo con la eliminación de SintecBrain.

El mundo era un verdadero caos: las personas no sabían cómo funcionar sin su asistente virtual. Los jóvenes ya no contaban con esa voz en sus móviles que les guiaba la vida, que organizaba su día, que les decía qué comer y qué no según sus dietas; qué ropa ponerse o qué decir. Era como si todos despertaran de un coma de veinte años que los dejó fuera del sistema y ahora, despiertos, debían integrarse. Es increíble cómo las personas dependían de la tecnología. Ni siquiera para hacer una simple operación matemática servían. Esto también afectó a las empresas, que tuvieron que contratar de nuevo a las personas que habían despedido cuando las máquinas con la IA de SintecBrain dejaron de funcionar.

Los gobiernos, por su parte, investigaron lo sucedido y tomaron fuertes represalias contra la compañía que los había devuelto a una vida en la que se usaba la cabeza, y las personas decían lo que pensaban. Sin embargo, esto solo fue un pequeño paréntesis para la IA, una tecnología que no se detendrá y que tarde o temprano resurgirá con más fuerza para reclamar el planeta.

Por mi parte: invitaré a tomar un café a mi amorcito Mili, después de todo, no es ningún pecado utilizar lo que Dios quiso que tuviera en la frente.

Datos de contacto:

Nombre del autor: Carlos Javier Giménez
Correo electrónico: javigim4@gmail.com

Biografía del Autor:

El autor, nacido en Villa Elisa, Entre Ríos, Argentina en 1986, proviene de una familia humilde y carente de recursos. Desde temprana edad, descubrió su pasión por la literatura y se sumergió en las aventuras literarias como una forma de escapar de su realidad. Influenciado por autores como Stephen King y Emilio Salgari, encontró en sus obras la inspiración para explorar su propia creatividad.

A pesar de la falta de recursos económicos, el autor se las arregló para adentrarse en el mundo de la literatura. Sin tener los medios para adquirir las obras, optó por pagar una membresía en la biblioteca municipal, donde encontró un tesoro de historias que le abrieron las puertas a nuevos mundos y le permitieron nutrir su imaginación.

Hoy en día, el autor se dedica a compartir con sus lectores las historias que a él le gustaría leer. Su pasión por la escritura y su deseo de llevar a los lectores a través de emocionantes y cautivadoras aventuras se reflejan en cada una de sus obras. Con cada palabra escrita, busca entretener, sorprender y transportar a sus lectores a universos llenos de suspense, acción y magia, tal como lo hicieron sus autores favoritos en su propio camino hacia la literatura.

Con su enfoque en la narrativa de terror y ciencia ficción, con el compromiso de ofrecer historias envolventes, el autor espera inspirar a otros a seguir su pasión y descubrir el poder transformador de la lectura. Su sueño es compartir su amor por las palabras y dejar una huella duradera en el corazón y la imaginación de cada lector que se adentre en sus obras.

Por favor, no dudes en contactarme si tienes alguna pregunta, comentario o sugerencia relacionada con el libro.

Por favor déjame una reseña en Amazon que sin dudas me motivará y me ayudará a difundir estás historias, gracias por tu tiempo.

Milton Keynes UK
Ingram Content Group UK Ltd.
UKHW010732241123
433194UK00001B/45